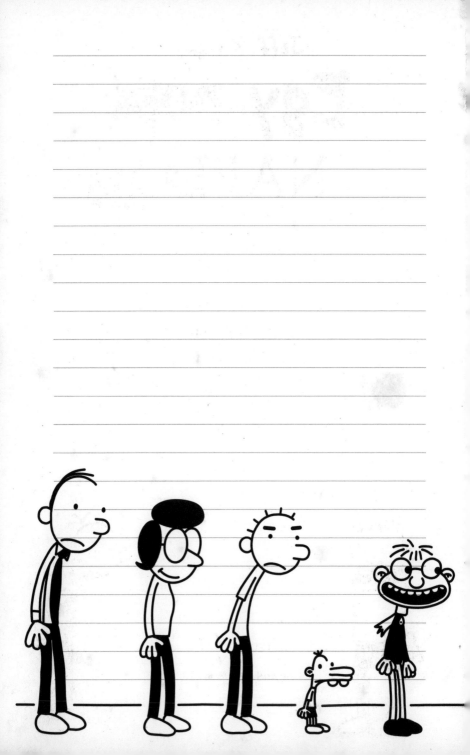

Jeff Kinney

Egy ropi
NAPLÓja

GREG HEFFLEY
FELJEGYZÉSEI

HETEDIK KIADÁS

Könyvmolyképző Kiadó, 2013

Írta és rajzolta: Jeff Kinney
A mű eredeti címe: Diary of a Wimpy Kid
Fordította: Szabados Tamás

© 2007 Wimpy Kid, Inc.
First published in the English language in 2007
By Amulet Books, an imprint of Harry N. Abrams,
Incorporated, New York
Original English title: Diary of a Wimpy Kid
(All rights reserved in all countries by Harry N. Abrams, Inc.)

ISBN 978-963-245-081-0

© Kiadta a Könyvmolyképző Kiadó, 2013-ban
Cím: 6701 Szeged, Pf. 784
Tel.: (62) 551-132, Fax: (62) 551-139
E-mail: info@konyvmolykepzo.hu
www.konyvmolykepzo.hu
Felelős kiadó: A. Katona Ildikó

magyar
nyomdatermék
NYOMDA- ÉS PAPÍRIPARI SZÖVETSÉG

Műszaki szerkesztő: Balogh József
Nyomta és kötötte: Alföldi Nyomda Zrt., Debrecen
Felelős vezető: György Géza vezérigazgató

MAMÁNAK, PAPÁNAK, RÉNEK,
SCOTTNAK ÉS PATRICKNAK

SZEPTEMBER

Kedd

Először is hadd szögezzek le valamit: Ez EMLÉK-
IRAT, nem napló. Tudom, hogy ez áll a borítón.
Pedig mikor anyu elment ezt az izét megvenni,
KIFEJEZETTEN kértem, hogy olyat hozzon,
amelyiken nincs „napló" felirat.

Remek. Már csak az kell, hogy valami barom el-
kapjon ezzel a könyvvel, és rossz következteté-
sekre jusson.

A másik, amit tisztázni akarok már az elején: ez
a MAMA ötlete volt, nem az enyém.

De ha azt hiszi, hogy leírom az „érzéseimet" vagy
valami, akkor megbuggyant. Szóval senki ne várja
tőlem, hogy „Kedves Naplóm" így, meg „Kedves
Naplóm" úgy.

Csak azért mentem bele ebbe az egészbe, mert rájöttem, hogy ha majd gazdag és híres leszek, jobb dolgom is lesz, mint egész álló nap az emberek ostoba kérdéseire felelgetni. Akkor majd jól jön ez a kis könyv.

Mint mondtam, egyszer majd gazdag és híres leszek, de egyelőre itt dekkolok a felső tagozatban egy csapat idióta társaságában.

Az igazság kedvéért hadd mondjam el, hogy szerintem a felső tagozat a világ leghülyébb találmánya. Végy néhány kölyköt (mint én), akik még nem lendültek növésbe, és keverd össze azokkal a gorillákkal, akiknek már naponta kétszer kell borotválkozniuk.

És csodálkoznak, hogy az erőszak olyan nagy probléma az iskolában.

Ha rajtam múlna, az osztályba sorolás a magasságon és nem az életkoron múlna. De szerintem ez azt jelentené, hogy az olyan srácok, mint Chirag Gupta, még mindig az első osztályban lennének.

Ma kezdődött az iskola, és épp arra várunk, hogy
a tanár haladjon már, és fejezze be az ültetést.
Azt találtam ki, hogy elütöm az időt, és írok
ebbe a könyvbe.

Egyébként hadd adjak pár jó tanácsot! Az első
napon alaposan gondold meg, hogy hova ülsz!
Mert előfordulhat, hogy bemész az osztályba,
levágod a cuccod valami ócska padra, és már csak
azt hallod, hogy a tanár így szól:

Szóval idén Chris Hosey ül előttem és Lionel
James mögöttem.

Jason Brill később jött, és majdnem mellém ült, de szerencsére az utolsó pillanatban sikerült megakadályoznom.

A következő félévben egy csomó dögös csaj közé kéne ülnöm, mikor belépek az osztályba. De azt hiszem, ez csak azt bizonyítaná, hogy nem tanultam semmit az előző évből.

Öregem, fogalmam sincs, mi ütött manapság a lányokba. Az alsó tagozatban sokkal egyszerűbb volt minden. Ha te voltál a leggyorsabb futó, az öledbe hullt az összes lány.

És ötödikben Ronnie McCoy futott a leggyorsabban.

Manapság sokkal komplikáltabb az ügy. Most az számít, milyen ruhát viselsz, milyen gazdag vagy, jó feneked van vagy valami. És a Ronnie McCoyhoz hasonló srácok csak a fejüket vakarják, és nem értik, most mi a rák van.

Az évfolyamon Bryce Anderson a legmenőbb csávó. Az a gáz, hogy én MINDIG jó voltam a csajoknál, és az olyan fószerek, mint Bryce csak az utolsó pár évben rúgtak labdába.

Emlékszem, Bryce miket művelt alsóban.

De persze most már semmit sem kapok azért,
hogy olyan hosszú ideig a pártjukat fogtam.
Ahogy mondtam, Bryce a legmenőbb fej az évfo-
lyamon, úgyhogy mi, többiek a maradék helyekért
tülekedünk.

Legoptimistább számításaim szerint én most va-
lahol az 52. vagy 53. legnépszerűbb lehetek. De
szerencsére mindjárt egy hellyel előbbre lépek,
mert Charlie Davies fogszabályzót kap a jövő
héten.

Megpróbáltam elmagyarázni a barátomnak,
Rowley-nak ezt a népszerűség dolgot (aki felte-
hetően a 150. hely körül áll), de azt hiszem, az
egyik fülén be, a másikon ki.

Szerda

Ma tesi órán, mikor kiértünk, első dolgom volt
lelépni a kosárpálya felé, és megnézni, hogy ott
van-e még a Sajt. Tutira ott volt.

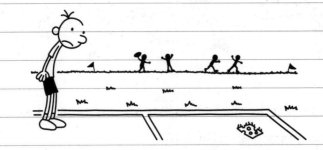

Az a darab Sajt a múlt tavasz óta díszíti az aszfaltot. Azt hiszem, valakinek a szendvicséből eshetett ki vagy valami. Pár nap múlva a Sajt kezdett megolvadni és bűzleni. Senki nem kosarazott a sajtos pályán, pedig ott van az egyetlen hálós gyűrű.

Aztán egyszer egy srác, Darren Walsh megérintette az ujjával a Sajtot, és ezzel elindította a „sajtos tapizós" nevű játékot. Alapvetően olyan, mint a fogócska. Ha kaptál egy sajtos tapit, addig ragadsz tőle, míg valaki másnak tovább nem adod.

Csak úgy védekezhetsz sajtos tapi ellen, ha keresztbe teszed az ujjaidat.

De nem túl könnyű arra figyelni, hogy a nap minden pillanatában keresztbe legyen az ujjad. Végül összeragasztottam az enyémeket, hogy folyton keresztben legyenek. Egyest kaptam ugyan az írásomra, de megérte.

Egy Abe Hall nevű srác hozzáért a Sajthoz áprilisban, és az év további részében senki sem ment a közelébe. Nyáron Abe Kaliforniába költözött, és elvitte magával a sajtos tapit.

Csak remélni tudom, hogy nem kezdi el megint valaki a sajtos tapizóst, mert semmi szükség az efféle stresszre az életemben.

Csütörtök
Komolyan megvisel, hogy hozzá kell szoknom a tényhez: vége a nyárnak, és minden nap fel kell kelnem, hogy iskolába menjek.

A nyaram – hála a bátyámnak, Rodricknek – nem indult valami fényesen.

Épp csak megkezdődött a szünet, amikor Rodrick egyszer fölkeltett az éjszaka közepén. Kijelentette, hogy végigaludtam az egész nyarat, de szerencsére a tanév első napjára felébredtem.

Most biztos azt gondolod, hogy milyen ostoba vagyok, hogy ezt beveszem, de Rodrick az iskolai egyenruhájában feszített, és előreállította az ébresztőórámat, mintha már reggel volna. Ráadásul behúzta a függönyömet is, hogy ne lássam, hogy kint még sötét van.

Így miután felkeltett, felöltöztem és lementem, hogy reggelit készítsek magamnak, mint minden rendes iskolanapon.

De azt hiszem, jó kis zajt csaphattam, mert
a következő percben már apa is lent volt, és
ordított velem, hogy miért eszem Cheeriost
hajnali háromkor.

Eltartott egy percig, mire kisütöttem, mi a fene
történt.

Mikor rájöttem, megmondtam apának, hogy
Rodrick átvágott, VELE kellene ordítani.

Apa le is ment az alagsorba, hogy kirázza
Rodrickot a bundájából, én meg követtem. Alig
vártam, hogy lássam, hogy kapja meg a magáét.

De Rodrick mindig ügyesen kihúzza a fejét a hurokból. Szerintem apa a mai napig biztosra veszi, hogy nincs ki minden kerekem.

Péntek

Ma osztották be a csoportokat.

Nem árulják el, hogy a tehetséges csoportba vagy a könnyítettbe kerültél-e, de könnyű kitalálni, ha az ember megnézi a kiosztott könyvek címlapját.

Rohadt csalódott lettem, mikor rájöttem, hogy a tehetséges csoportba kerülök, mert az egy csomó plusz munkát jelent.

Mikor az előző év végén felmértek, mindent elkövettem, hogy a könnyített csoportba kerüljek az idén.

Mama keményen rámászott az igazgatóra, úgyhogy lefogadom, ő lépett közbe és intézte el, hogy újra a tehetséges csoportba kerüljek.

Mama mindig azt mondja, hogy okos kölyök vagyok, de egyszerűen nem „fordítok elég figyelmet a tanulásra".

Viszont egy dolgot megtanultam Rodricktól:
csökkentsd a veled szembeni elvárásokat a mini-
mumra, így aztán azzal is meglepsz másokat, ha
gyakorlatilag nem csinálsz semmit.

Valójában egy kicsit örülök, hogy nem sikerült a könnyített csoportba kerülnöm.

Láttam pár embert a „Husi mondja hű" csoport-ból, akik fejjel lefelé tartották a könyvet, és szerintem nem viccből.

Szombat

Hát, végre vége az első hétnek az iskolában, úgy-hogy ma tovább alszom.

A legtöbb srác korán kel szombaton, hogy rajzfilmet nézzen, vagy valamit, de én nem. Az egyetlen oka, hogy kibújok az ágyból hétvégén, egyszerűen az, hogy nem bírom tovább elviselni a szájszagomat.

Sajnos apa 6:00-kor kel, tekintet nélkül arra,
hogy milyen nap van, és egyáltalán nem érdekli,
hogy normális ember módjára próbálom élvezni a
szombatot.

Ma nincs semmi dolgom, úgyhogy elindulok
Rowley-hoz.

Rowley gyakorlatilag a legjobb barátom, de ezen
rövidesen változtatni akarok.

Év eleje óta kerülöm Rowleyt, mert olyasmit mű-
velt, amitől tényleg elszállt az agyam.

Amikor a nap végén kiszedtük a holminkat a szekrényből, Rowley odajött hozzám, és megkérdezte:

Legalább egymilliószor mondtam Rowley-nak, hogy most már felsősök vagyunk, és ebben az életkorban az ember azt mondja, hogy „jössz lógni?", nem pedig azt, hogy „jössz játszani?". De mindegy, hányszor rágom a szájába, legközelebbre úgyis elfelejti.

Megpróbálok ügyelni a hírnevemre, mióta felsős vagyok. De Rowley egyáltalán nem tesz jót az imázsomnak.

Rowleyval pár éve ismerkedtem meg, mikor a szomszédunkba költözött.

A mamája vett neki egy könyvet „Hogyan szerezzünk barátokat új helyen" címmel, és átjött hozzánk, hogy kipróbálja ezeket a hülye trükköket.

Azt hiszem, megsajnáltam Rowley-t, és úgy döntöttem, hogy a szárnyaim alá veszem.

Szuper volt vele lenni, főként, mert minden poénomat elsüthettem rajta.

TUDTAD, HOGY HA NAGYOBB AZ ARCOD, MINT A KEZED, EZ AZ ALACSONY INTELLIGENCIA JELE?
TÉNYLEG?

HUH! EZT KAPD KI!
PUFF!

AZ ÉN INTELLIGENCIÁM ALACSONY?
HÁT... PRÓBÁLJUK KI ÚJRA!

Hétfő

Tudod, miért tesztelek minden kitolást Rowley-n? Nos, van egy öcsém, Manny, és SOHA egyetlen trükkömet se veszi be.

Anyáék úgy óvják Mannyt, mintha valami kisherceg lenne. Sose kerül bajba, még akkor sem, ha megérdemelné.

Tegnap Manny önarcképet rajzolt a szobám ajtajára. Azt hittem, hogy most tényleg befűtenek neki, de mint mindig, most is tévedtem.

De legjobban az böki a csőröm, ahogy engem szólít. Kiskorában nem tudta kimondani, hogy „bratyóm", ezért elkezdett „Bubinak" nevezni. És MÉG MINDIG így hív, bár megpróbáltam elérni a szüleinknél, hogy állítsák le.

Szerencsére egyetlen haverom sem tud még róla, de hidd el, volt pár meleg helyzet.

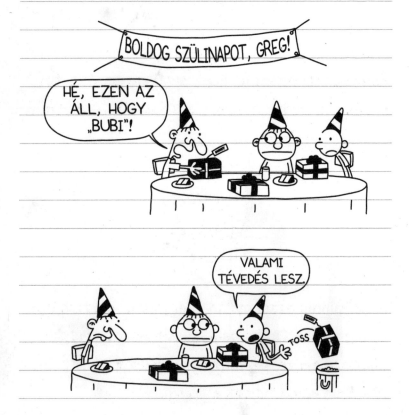

Mannynak én segítek reggelente készülődni.
Amint elkészítem a zabpelyhét, bevonul vele a
nappaliba, és letelepszik a műanyag bilijére.

És mikor itt az ideje, hogy óvodába menjen, fel-
áll, és a maradékot egyenesen beleönti a retyóba.

Anya mindig azzal gyilkol, hogy nem fejezem be
a reggelimet. De ha neki kellene minden reggel
kikaparnia a zabpelyhet egy műanyag bili aljáról,
neki sem lenne túl sok étvágya.

<u>Kedd</u>

Nem tudom, említettem-e már, de SZUPER jó vagyok a videójátékokban. Lefogadom, bárkit laposra vernék a korosztályomból.

Sajnos apa nem igazán díjazza ez irányú képességeimet. Folyton azzal nyaggat, hogy menjek ki és „mozogjak".

Szóval ma este vacsora után, mikor elkezdett kifelé terelgetni, megpróbáltam elmagyarázni neki, hogy a videójátékokkal az ember sportolhat, például focizhat, és még ki sem melegszik.

De szokás szerint nem értette a logikámat.

Apa általában egész okos figura, de mikor a józan paraszti eszét kéne használnia, néha meglepi az embert.

Biztos vagyok benne, hogy legszívesebben szétszerelné a játékomat, ha rá tudna jönni, hogyan kell csinálni. De szerencsére a gyártók szülőbiztossá tették.

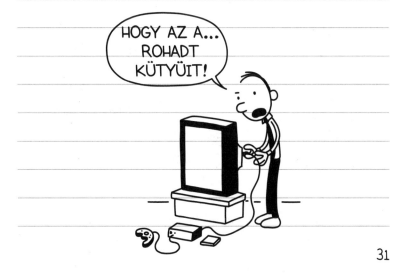

Valahányszor apa kirúg a házból, hogy valami spor-
tos tevékenységet űzzek, egyszerűen elmegyek
Rowleyék-hoz, és ott folytatom a videójátékot.

De sajnos ott csak autóversenyzést meg hasonló-
kat lehet játszani.

Mert valahányszor én hozok valamit, a papája
megnézi valami szülői weboldalon. És ha bármiféle
harc vagy erőszak szerepel benne, nem engedi,
hogy játsszunk vele.

Rohadt uncsi Forma 1-es autóversenyt játszani
Rowley-val, mert ő – velem ellentétben – nem ko-
moly játékos. Ahhoz, hogy legyőzzem, csak any-
nyit kell tennem, hogy valami röhejes nevet adok
a kocsimnak a játék elején.

És mikor megelőzöm Rowley-t, ő egyszerűen szétesik.

Miután ma is lemostam Rowley-t a pályáról, hazaindultam. Párszor átszaladtam a szomszéd locsolója alatt, hogy úgy nézzek ki, mint aki megizzadt. Apa bevette.

De a trükk visszaütött, mert ahogy anya meglátott, azonnal elzavart zuhanyozni.

Szerda

Azt hiszem, apa egész elégedett lehetett magával, hogy tegnap kizavart, mert ma sem úsztam meg.

Tényleg marhára zavaró, hogy Rowley-ékhoz kell mennem, ha videójátékot akarok játszani. Ott az a Fregley nevű lökött srác, aki félúton lakik a mi házunk és Rowley-éké között, és mindig az előkertjükben lebzsel. Úgyhogy rohadt nehéz megúszni.

Fregley az én csoportommal jár tesire, és valami kitalált nyelven beszél. Mikor vécére akar menni, azt mondja:

Mi, többiek, mostanra már egész jól kiismertük Fregley-t, de a tanárok, azt hiszem, még nem igazán kapiskálják, mi az ábra.

Ma azt hiszem, magamtól is elmegyek Rowley-ékhoz, mert a bátyám, Rodrick és bandája az alag-sorban próbál.

Rodrick zenekara TÉNYLEG borzalmas. Képte-
len vagyok otthon maradni, ha gyakorolnak.

A banda neve „Telepelus", csak Rodrick kocsijá-
ra úgy írták ki „Telepölu".

Az ember azt hinné, hogy azért írták így,
hogy szuperebb legyen, de lefogadom, ha va-
laki elárulná Rodricknak, hogyan kell írnia a
„Telepelust", meglepődne.

Apának nem tetszett, hogy Rodrick zenekart
alapít, de anya odavolt érte.

Ő vette Rodricknak az első dobszerkót is.

Azt hiszem, anya lelki szemei előtt az lebegett, hogy valamennyien megtanulunk valamilyen hangszeren játszani, és amolyan családi zenekarként működünk, amilyet a tévében látott.

Apa tényleg rühelli a heavy metált, de Rodrick és bandája éppen ezt nyomja. Szerintem anyát nem igazán érdekli, mit játszik vagy hallgat Rodrick, mert számára minden zene egyforma. Ma reggel is, mikor Rodrick az egyik CD-jét hallgatta a nappaliban, bejött anya és nekiállt táncolni.

Ettől Rodrick tényleg bepörgött, úgyhogy leron-
gyolt a boltba, és tizenöt perccel később egy
fülhallgatóval jött vissza. Ez egész jól megoldot-
ta a problémát.

Csütörtök

Rodrick tegnap kapott egy új heavy metal CD-t,
és volt rajta valami „Szülői figyelmeztetés" fel-
iratú matrica.

Még sose sikerült ilyen szülői figyelmeztetéssel
ellátott CD-t hallgatnom, mert anyáék soha nem
engedték, hogy ilyet vegyek. Végül rájöttem:
csak úgy hallgathatom meg Rodrick CD-jét, ha
kicsempészem a házból.

Ma reggel, miután Rodrick elment, felhívtam
Rowleyt, hogy hozza el a CD lejátszóját az isko-
lába.

Aztán bementem Rodrick szobájába, és leemeltem a CD-t a tartóról.

Nem szabad saját zenelejátszót vinni a suliba, úgyhogy meg kellett várnunk az ebédet, mikor kiengednek bennünket. Amint lehetett, visszalopóztunk az iskolába, és betettük Rodrick CD-jét.

De Rowley elfelejtett elemet tenni a lejátszójába, úgyhogy teljesen használhatatlan volt.

Szerencsére kitaláltam egy jó játékot: felteszed a fejedre a fülhallgatót, és anélkül, hogy a kezeddel segítenél, igyekszel lerázni.

Az a győztes, akinél hamarabb lepotyog.

Én tartottam a csúcsot hét és fél másodperccel, de azt hiszem, egy kis „tölteléket" is sikerült felráznom magamból.

Épp a játék közepén jött arra Mrs. Craig, és természetesen lebuktunk. Elvette a lejátszót, és kezdődött a leszúrás.

De azt hiszem, tévedésben volt a működésünk tárgyát illetően. Arról kezdett beszélni, hogy mennyire „káros" a rock and roll, és hogy eleszi az agyunkat.

Már éppen meg akartam neki mondani, hogy még elem sincs a lejátszóban, de látszott, hogy nem hagyja félbeszakítani magát. Úgyhogy vártam, míg befejezi, és azt mondtam: – Igen, tanárnő.

De mikor Mrs. Craig már éppen elengedett volna minket, Rowley elkezdett bömbölni, hogy nem akarja, hogy a rock and roll elegye az agyát.

Őszintén, képtelen vagyok kiigazodni a fickón.

<u>Péntek</u>

Nos, mostantól a saját kezembe veszem a dolgot. A múlt éjjel, miután mindenki lefeküdt, leosontam meghallgatni Rodrick CD-jét a sztereó lejátszón a nappaliban.

Föltettem az új fülhallgatót, és tényleg baromi hangosra tekertem. Aztán lenyomtam a lejátszó gombot.

Először is hadd jegyezzem meg, kifejezetten megértem, miért ragasztották a „Szülői figyelmeztetés" feliratú matricát a CD-re.

De csak úgy harminc másodpercet hallgattam az első számból, mikor félbeszakítottak.

Kiderült, hogy nem dugtam be a fülhallgatót a sztereólejátszóba. Úgyhogy a zene valójában a HANGSZÓRÓKON keresztül jött, nem a fejhallgatón.

Apa felhajtott a szobámba, becsukta maga után az ajtót, és vészjóslóan kijelentette:

Ha apa ilyen hangsúllyal „havernak" nevez, már tudom, hogy baj van. Mikor apa először szólított így, nem értettem, hogy gúnyolódik. Úgyhogy nem voltam résen.

HAVER = JÓ

Többé nem követem el ezt a baklövést.

Ma este nagyjából tíz percig ordított velem, aztán szerintem rájött, hogy mennyivel jobb az ágyban, mint alsóneműben ordítani az én szobámban. Kijelentette, hogy két hétre el vagyok tiltva a videójátékoktól. Nagyjából erre számítottam. Azt hiszem, örülhetek, hogy ennyivel megúsztam.

Az a jó apában, hogy amilyen gyorsan bepöccen, olyan gyorsan le is higgad, és vége. Általában, ha valami disznóságot követek el apa előtt, akkor hozzám vágja, ami épp a keze ügyébe akad.

Anya TELJESEN más típus, mikor büntetésre kerül a sor. Ha valami disznóságot követek el, és anya kap el, pár napig eltart, míg kitalálja, mi legyen a büntetés.

És miközben várja az ember a büntetést, min-
denfélét elkövet, hogy enyhítsen rajta.

De pár nap után, mikorra már el is felejted, hogy
bent vagy a lekvárban, akkor áll elő a büntetés-
sel.

<u>Hétfő</u>

Ez a videójáték tilalom keményebb, mint gondol-
tam. De legalább nem én vagyok az egyetlen a
családban, aki nyakig ül a szószban.

Rodrick is kihúzta a gyufát anyánál. Mannynak
megtetszett az egyik heavy metal újságja. Az
egyik oldalon egy nő feküdt egy kocsi csomag-
tartóján. És Manny bevitte az óvodába, mikor az
volt a feladat, hogy vigyenek egy képet, amiről
mesélni tudnak.

Szerintem anya nem igazán örült az ezt követő
telefonhívásnak.

Láttam én is a magazint, és őszintén semmi
olyasmi nem volt benne, amiért fel kellett volna
kapni a vizet. De anya nem engedi, hogy ilyesmi
legyen a házban.

Rodricknek büntetésből felelnie kellett egy cso-
mó kérdésre, amiket anya írt neki.

*Jobb ember lettél azáltal, hogy
megvetted azt a magazint?*

NEM.

*Népszerűbb lettél tőle az
iskolában?*

NEM.

*Hogy érzed magad most, hogy ilyen
magazin van a birtokodban?*

SZÉGYELLEM
MAGAM.

*Van valami mondanivalód a női
társadalomnak, hogy birtokában
vagy egy ilyen felháborító
magazinnak?*

NAGYON SAJNÁLOM,
HÖLGYEIM.

<u>Szerda</u>

Még mindig büntetésben, és nem játszhatok videójátékot, úgyhogy Manny használja a gépemet. Anya hozott egy csomó oktató célzatú játékot, de iszonyú kín nézni, amikor Manny játszik.

Jó hír, hogy rájöttem, hogyan csempésszek be pár játékot Rowley papájának háta mögött. Az egyik lemezt betettem Manny „Fedezzük fel az ábécét" feliratú tokjába, és ennyi az egész.

Csütörtök

Az iskolában ma bejelentették, hogy közelednek a diákönkormányzati választások. Hogy őszinte legyek, mindig hidegen hagyott a diákönkormányzat. De csak egy kicsit kellett gondolkodnom, hogy rájöjjek, ha megválasztanak pénztárosnak, TELJESEN megváltozik a helyzetem.

Sőt, van még jobb is...

Soha senki nem gondolt arra, hogy pénztárosi posztért induljon, mert mindenki az olyan nagyágyú helyekért indul, mint az elnök vagy alelnök. Szóval kitaláltam, ha holnap jelentkezem, a pénztárosság szépen az ölembe hullik.

Péntek

Ma feliratkoztam a pénztáros-jelöltek listájára. Sajnos egy Marty Porter nevű srác is jelentkezett pénztárosnak, ráadásul valóságos matekzseni. Úgyhogy nem lesz olyan könnyű, mint gondoltam.

Mondtam apának, hogy indulok a diákönkormányzati választáson, és nagyon izgatott lett. Kiderült, hogy az én koromban ő is indult, és meg is nyerte.

BECSÜLETESSÉG
TISZTESSÉG
HOZZÁÉRTÉS

VÁLASZD
FRANK HOFFLEY-T
TITKÁRNAK!

Aztán feltúrt egy csomó régi dobozt a pincében, és megtalálta az egyik kampányplakátját.

A plakát jó ötlet, gondoltam, és megkértem apát, hogy vigyen el a boltba hozzávalókért. Karton-papírral és tollakkal szerelkeztem föl, és az est további részét a kampányanyagom összeállításá-val töltöttem. Remélem, működik a plakát!

Ma bevittem a plakátjaimat az iskolába, és bátran kijelenthetem, hogy nagyszerűek lettek.

Amint beértem, elkezdtem kiragasztgatni a plakátokat. De legfeljebb három perce lehettek fönt, mikor Mr. Roy, az igazgatóhelyettes, kiszúrta őket.

Mr. Roy azt mondta, nem szabad „valótlanságokat" állítani más jelöltekről. Én mondtam neki, hogy a tetű dolog az igaz, és hogy gyakorlatilag be kellett zárni az iskolát, mikor ez történt.

De ő elvette a plakátokat. Ma Marty Porter nyalókákat osztogatott, hogy szavazatokat szerezzen magának, míg az én plakátjaim Mr. Roy szemetesének mélyén pihennek. Azt hiszem, politikai karrierem ezzel véget ért.

OKTÓBER

Hétfő

Nos, végre október van, és már csak harminc nap van mindenszentekig. Mindenszentek a KEDVENC ünnepem, bár anya azt mondja, hogy az „adsz-vagy-kapsz"-hoz már túl öreg vagyok.

Mindenszentek apának is a kedvenc ünnepe, de más okból. Mindenszentekkor éjszaka, mikor a többi szülő cukorkát osztogat, apa elbújik a bokrok között egy vödör vízzel.

És ha kamaszok közelednek a kocsibejáróhoz, nyakon önti őket.

Nem vagyok benne biztos, hogy apa valóban felfogta a mindenszentek lényegét. De én nem teszem tönkre a szórakozását.

Ma este nyílik a Crossland főiskola kísértetháza, és rávettem anyát, hogy vigyen el engem meg Rowley-t.

Rowley a tavalyi jelmezében jelent meg nálunk. Épp az előbb hívtam fel, és kötöttem a lelkére, hogy rendes ruhában jöjjön, de szokás szerint nem figyelt.

Mindenesetre igyekeztem nem nagyon zavartatni magam. Eddig még sosem engedtek el a Crossland kísértetházba, és nem engedhettem meg magamnak, hogy Rowley tönkretegye az estémet. Rodrick már mesélt róla, és erre várok vagy három éve..

Aztán amikor a bejárathoz értünk, kezdtem meggondolni magam.

De anya, úgy látszik, igyekezett túl lenni az egészen, és kezdett befelé terelni bennünket. Mikor a kapun belül voltunk, egyik frász követte a másikat. Vámpírok ugrottak az emberre, meg fej nélküli emberek és egyéb ilyen hülyeségek.

De a legrosszabb az úgynevezett Láncfűrész sikátor volt. Egy nagydarab srác fogadott hoki maszkban egy igazi láncfűrésszel. Rodrick azt mondta, hogy a pengéje műanyag, de nem volt kedvem kipróbálni.

Már éppen úgy nézett ki, hogy a láncfűrészes fickó elkap bennünket, mikor anya közbelépett és megmentett.

Anya megkérdezte a láncfűrészest, merre van a kijárat, így egyszer s mindenkorra vége lett a kísértetházi kalandunknak. Azt hiszem, kicsit ciki volt, hogy az anyukám közbeavatkozott, de most az egyszer megbocsátottam.

Szombat
A Crossland kísértetház megmozgatta a fantáziámat. Azok a hapsik öt dolcsit kértek el egy beugróért, és a sor majdnem az iskoláig ért.

Úgy döntöttem, én is csinálok egy saját kísértetházat. Valójában Rowley-t is be kellett vonnom az üzletbe, mert anya biztosan nem engedte volna, hogy a házunkat totális kísértetkastéllyá alakítsam.

Tudtam, hogy Rowley apja nem őrül be az ötlettől, ezért úgy döntöttem, hogy az ő pincéjükben rendezkedünk be, és egyszerűen nem szólunk a szüleinek.

Rowley-val a nap jó részét a kísértetház nagyszabású tervének kidolgozásával töltöttük.

Íme a végső változat:

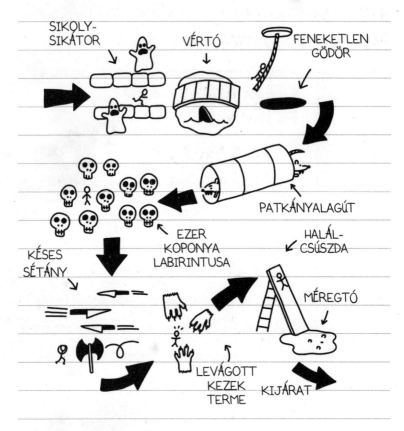

Nem akarok dicsekedni vagy valami, de amivel
előálltunk, NAGYSÁGRENDEKKEL jobb, mint a
Crossland főiskola kísértetháza.

Rájöttünk, hogy el kell terjesztenünk, hogy
megnyitottunk, úgyhogy papírt szedtünk elő, és
csináltunk pár röplapot.

Be kell vallanom, egy kicsit kiszíneztük a valóságot a reklámban, de mindent el kellett követnünk, hogy felhívjuk az emberek figyelmét.

Mire befejeztük a szórólapok kihelyezését a környéken, és visszaértünk Rowley-ék pincéjébe, fél három lett, és még el sem kezdtük a tényleges kísértetház berendezését.

Kénytelenek voltunk kicsit egyszerűsíteni az eredeti tervünket.

Mikor elérkezett a három óra, kinéztünk, hogy jött-e valaki. Nagyjából húsz környékbeli kissrác várakozott Rowley-ék pincéje előtt.

Tudom, hogy a röplapokon a belépődíjként ötven cent szerepelt, de láttam, hogy itt a nagy lehetőség.

Ezért közöltem a kölykökkel, hogy a belépés két dolcsi, és az ötven cent sajtóhiba volt.

Az első kölyök, aki kiköhögte a két dolcsit, Shane Snella volt. Fizetett, beengedtük, és Rowley-val elfoglaltuk a helyünket a Sikolysikátorban.

A Sikolysikátor alapvetően egy ágy volt, az egyik végén Rowley helyezkedett el, a másikon én.

Azt hiszem, a Sikolysikátor egy kicsit félelmetesre sikerült, mert félúton Shane összekuporodott az ágy alatt. Megpróbáltuk rávenni, hogy másszon ki, de nem mozdult.

A pénzre gondoltam, amit elveszítünk, ha ez a kölyök eltorlaszolja a Sikolysikátort, és tudtam, hogy ki kell onnan piszkálni, amilyen gyorsan csak lehet.

Végül Rowley papája jött le. Először megörültem, mikor megláttam, mert arra gondoltam, segít majd kihúzni Shane-t az ágy alól, és a kísértetház újból működőképes lesz.

De Rowley papája nem volt segítőkész hangulatban.

Tudni akarta, hogy mit művelünk, és miért kuporog Shane Snella az ágy alatt.

Mondtuk neki, hogy a pince a kísértetház, és Shane Snella egyenesen FIZETETT érte, hogy ezt csináljuk vele. De Rowley papája nem hitt nekünk.

Be kell vallanom, ha körülnézett az ember, a pince tényleg nem látszott igazi kísértetháznak. Csak arra jutott időnk, hogy a Sikolysikátort és a Vér-tavat összehozzuk, ami Rowley régi babakádja és egy fél doboz ketchup segítségével készült.

Megpróbáltam megmutatni Rowley papájának az eredeti tervet, hogy bizonyítsam, hogy tisztességes üzletet bonyolítunk, de úgy tűnt, nem sikerült meggyőznöm.

Szóval rövidre fogva, ezzel véget is ért a kísértetház projektünk.

Az viszont jó, hogy mivel Rowley apja nem hitt nekünk, nem ragaszkodott hozzá, hogy visszafizessük Shane pénzét. Úgyhogy végül is kerestünk ma két dolcsit.

<u>Vasárnap</u>

Rowley-t tegnap megbüntették a kísértetház kalamajka miatt. Nem nézhet tévét egy hétig, ÉS nem játszhat velem ez alatt az idő alatt.

Ez az utóbbi nem tisztességes, mert engem is büntet, pedig nem csináltam semmi rosszat. És most hol játsszak videójátékot?

Egyébként is, rossz előérzetem van Rowley-val kapcsolatban. Ma este megpróbáltam kapcsolatba lépni vele. Bekapcsoltam Rowley kedvenc tévé-műsorát, és a telefonon keresztül élőben közve-títettem, úgyhogy valamiféle élményhez azért hozzájutott.

HŰ! NÉZD, MEKKORA LÁNGSZÓRÓ!

JA PERSZE, NE TÖRŐDJ VELE!

Mindent megtettem, hogy elévarázsoljam, mi látható a képernyőn, de őszintén szólva nem biztos, hogy Rowley teljes egészében részesült az élményből.

Kedd

Nos, Rowley büntetése végre lejárt, éppen idejében mindenszentek előtt. Átmentem hozzájuk, hogy ellenőrizzem a jelmezét, és bevallom, egy kicsit irigy is voltam.

Rowley mamája olyan lovagjelmezt szerzett, ami ezerszer szuperebb volt a tavalyinál.

A lovag felszereléséhez tartozott sisak, pajzs és egy igazi kard meg MINDEN.

Nekem soha nem volt boltban vásárolt jelmezem. Még mindig nem találtam ki, miben megyek holnap este, úgyhogy valószínűleg összedobok valamit majd az utolsó pillanatban. Arra gondoltam, megint bedobom a vécépapír múmiát.

De azt hiszem, holnap esni fog, úgyhogy talán nem az a legokosabb választás.

Az utóbbi években a felnőttek a szomszédunk-
ban már leszólták a béna jelmezeimet, és kezd-
tem azt gondolni, hogy ez az édesség mennyisé-
gére is kihatással lesz.

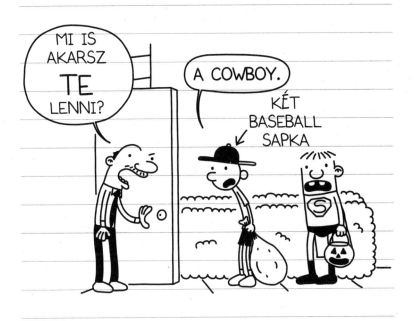

De tényleg nincs időm jó jelmezt összehozni,
mert nekem kell megtervezni a legjobb útvonalat
holnap estére.

Az idén olyan tervem van, amitől kétszer annyi
édességet gyűjtünk be, mint tavaly.

Mindenszentek

Úgy egy órával a tervezett indulás előtt még mindig nem volt jelmezem. Ezen a ponton komolyan fontolóra vettem, hogy másodszor is a cowboyjelmezben menjek.

De akkor anya kopogott az ajtón, és egy kalózjelmezt adott be, szemkötővel, kampóval meg mindennel.

Rowley 6:30-kor jelent meg a lovagjelmezében, de EGYÁLTALÁN nem úgy festett, mint tegnap.

Rowley mamája biztonsági átalakításokat hajtott végre az öltözéken, és már azt sem nagyon lehetett megmondani, mi volt eredetileg.

Egy nagy lyukat vágott a sisak elejére, hogy Rowley jobban lásson, ráadásul tetőtől talpig betekerte fényvisszaverő szalaggal. A jelmez alá téli ruhát kellett felvennie, a kardját pedig világító rúdra cserélték.

Fogtam a párnahuzatomat és Rowley-val együtt elindultunk. De mielőtt az ajtóhoz értünk volna, anya megállított.

Öregem, tudhattam volna, hogy valami csavar van a dologban, mikor anya odaadta a jelmezt.

Mondtam anyának, KIZÁRT, hogy Mannyt magunkkal vigyük, mert 152 házat akarunk végigjárni három óra alatt. Ráadásul a Kígyó utcába is elmegyünk, és az nem való az olyan kisgyerekeknek, mint Manny.

Ezt az utolsó dolgot nem kellett volna említenem, mert anya rögtön szólt apának: tartson velünk, nehogy elhagyjuk a környéket. Apa megpróbálta magát kivonni a dologból, de ha egyszer anya valamit a fejébe vesz...

Még mielőtt a kocsibejárón túljutottunk volna, belefutottunk a szomszédunkba, Mr. Mitchellbe és a fiába, Jeremybe. Persze ők is csatlakoztak hozzánk.

Manny és Jeremy nem volt hajlandó bekopogni olyan házakhoz, ahol kísérteties volt a dekoráció, úgyhogy csaknem minden ház kiesett a szomszédban.

Apa és Mr. Mitchell a futballról vagy valamiről beszélgettek, és valahányszor valamelyikük ki akarta fejteni az álláspontját, megálltak egy időre.

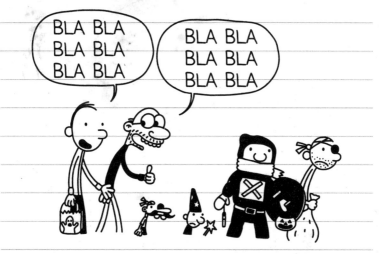

Úgyhogy nagyjából húsz percenként értünk el egy-egy házhoz.

Pár óra múlva apa és Mr. Mitchell hazavitte a kicsiket.

Én megörültem, mert ez azt jelentette, hogy belehúzhatunk Rowley-val. A párnacihám csaknem üres volt, úgyhogy annyi időt akartam behozni, amennyit csak lehet.

Nem sokkal később Rowley közölte, hogy „biliszünetet" kéne tartanunk. Úgy intéztem, hogy még tartania kellett további negyvenöt percig. De addigra a nagyanyám házához értünk, és nyilvánvalóvá vált, ha nem engedem, hogy Rowley használja a fürdőszobát, nagy baj lesz.

Úgyhogy mondtam neki, ha egy perc múlva nincs újra kint, megeszem az ő részét is az édességből.

Aztán indultunk tovább. De akkor már 10: 30 körül járt az idő, és azt hiszem, a legtöbb felnőtt úgy döntött, vége a mindenszenteknek.

Ezt onnan lehetett tudni, hogy pizsamában jöttek az ajtóhoz, és ferde szemmel néztek ránk.

Úgy határoztunk, hazaindulunk. Egy csomó időt behoztunk, miután apáék hazamentek, úgyhogy meglehetősen elégedettek voltunk az összegyűlt édesség mennyiségével.

Már éppen félúton voltunk hazafelé, mikor egy csomó főiskolás sráccal megrakott kisteherautó közeledett bömbölve az utcán.

A hátul ülő srác egy tűzoltó készüléket tartott, és mikor a kocsi elhaladt mellettünk, tüzet nyitott.

Rowley dicséretére legyen mondva, a víz 95%-át elhárította a pajzsával. Ha nem tette volna, az összes édesség elázik.

Mikor a kisteherautó elhajtott, valamit odakiáltottam nekik, amit két másodperc múlva meg is bántam.

A sofőr a fékre taposott, és megfordult a kocsival. Mi elkezdtünk rohanni, de azok a fickók ott lihegtek a sarkunkban.

Csak egyetlen biztonságos helyre mehettem, a nagyanyám házába, úgyhogy pár hátsó kerten átvágva odaértünk. A Nagyi már ágyban volt, de tudtam, hogy a kulcs az első verandán, a lábtörlő alatt van.

Mikor bent voltunk, kinéztem az ablakon, hogy lássam, követnek-e. Hát persze, hogy le se szálltak rólunk. Megpróbáltam kicselezni őket, hogy menjenek már el, de nem vették be.

NOS, AZT HISZEM ITTHON BIZTONSÁGBAN VAGYUNK, NEM KAPHATTOK EL!

Kis idő múlva rájöttem, hogy a fickók kibekkelnek bennünket, ezért úgy döntöttem, hogy a nagyinál töltjük az éjszakát. Aztán kezdtünk elpimaszodni, és majomkodtunk, hogy húzzuk a srácokat meg minden.

Legalábbis én majomkodtam, Rowley bagolyszerű hangokkal próbálkozott, de azt hiszem, ugyanattól az ötlettől vezérelve.

Felhívtam anyát, hogy a nagyinál maradunk éjszakára, de anya tényleg dühösnek tűnt a telefonban.

Azt mondta, hogy holnap iskola, és azonnal haza kell mennünk. Vagyis ez azt jelentette, hogy rohanhatunk.

Kinéztem az ablakon, és ezúttal nem láttam a kisteherautót. De sejtettem, hogy a srácok csak elbújtak valahol, és megpróbálnak kicsalogatni bennünket.

Úgyhogy a hátsó ajtón óvakodtunk ki, átpattantunk a nagyi kerítésén, és végigszaladtunk a Kígyó utcán. Úgy számítottam, hogy ott jobbak az esélyeink, mert nincsenek utcalámpák.

A Kígyó utca már önmagában is elég gázos, anélkül, hogy egy teherautónyi kamasz vadászna az emberre. Valahányszor kocsit láttunk közeledni, beugrottunk a bokorba. Fél órába telt megtenni száz métert.

De akár hiszitek, akár nem, hazaértünk, anélkül, hogy elkaptak volna. Nem lazítottunk, míg csak a kocsibejárónkhoz nem értünk.

De akkor szörnyű üvöltés harsant, és hatalmas vízsugár zúdult ránk.

Öregem, TELJESEN elfeledkeztem apáról, és kegyetlenül megfizettem az árát.

Aztán Rowley-val bementünk, és kiöntöttük a konyhaasztalra az édességeket.

Csak pár celofánpapírba csomagolt mentacukrot meg a fogkeféket tudtuk megmenteni, amiket Dr. Garrison adott.

Azt hiszem, a következő mindenszentekkor otthon maradok, és elnyammogok pár vajas rudacskát, amit anya a hűtőszekrény tetején tart.

NOVEMBER

Kedd

Ma az iskolába menet a busz elhaladt a nagyi háza
előtt. Betekerték vécépapírral, ami az előző este
történtek után nem lepett meg.

Kicsit rosszul érzem magam, mert úgy tűnik, el-
tart egy darabig, amíg rend lesz. Még szerencse,
hogy a nagyi nyugdíjas, és úgy sincsenek komoly
tervei mára.

Szerda

A harmadik órán Mr. Underwood, a tornataná-
runk bejelentette, hogy a fiúknak a következő
hat hétben birkózó foglalkozásokat tart.

A suliban a legtöbb srác odavan a profi birkózásért. Úgyhogy Mr. Underwood bejelentése bombaként robbant.

Az ebéd közvetlenül a tornaóra után következik, és az étterem kész bolondokházává változott.

Nem tudom, az iskola mit várt a birkózó foglalkozás után.

De úgy döntöttem, nem hagyom, hogy az elkövetkezendő másfél hónapban perecet csavarjanak belőlem. Legjobb lesz, ha házi feladatként elmerülök ebben a birkózás nevű dologban.

Úgyhogy rendeltem pár videójátékot, hogy meg-
tanuljak néhány fogást. És tudod, mi történt?
Nemsokára tényleg kezdtem kapiskálni.

A legjobb lesz, ha a kiscsávók az osztályban
vigyáznak magukra, mert ha tartom az iramot,
tényleg veszélyessé válok.

Aztán újból gondoskodtam róla, hogy ne legyek TÚLSÁGOSAN jó. Egy Preston Sill nevű srác lett a hónap sportolója, mint a kosárlabdacsapat legjobb játékosa, úgyhogy a képét ki is tették a folyosóra.

Nagyjából öt másodpercbe telt rájönni, hogy hangzik P. Sill neve, aztán mindenki nekiesett Prestonnak.

Csütörtök

Rá kellett döbbennem, hogy az a fajta birkózás, amit Mr. Underwood tanít, TELJESEN más, mint amit a tévében mutatnak.

Először is, egy „birkózódressznek" nevezett izébe kellett öltöznünk, ami az 1800-as években viselt fürdőruhára hasonlít.

Másodszor, nem lehet az ellenfelet fejjel a földbe állítani, sem fej fölé emelt székkel vagy hasonlóval ütni.

Még ring sincs, meg kötelek sem. Gyakorlatilag egy agyonizzadt szőnyegből áll a felszerelés, aminek olyan a szaga, mintha sose mosták volna ki.

Mr. Underwood önként jelentkezőket kért, hogy be tudjon mutatni néhány fogást, de a világ minden kincséért se emeltem volna föl a kezem.

Rowley-val megpróbáltunk elbújni a tornaterem végében a függönynél, de ott a lányok tornáztak.

Gyorsan távoztunk, és igyekeztünk vissza a fiúk közé.

Mr. Underwood kiválasztott engem, talán, mert én vagyok a legkönnyebb gyerek az osztályban, és minden különösebb megerőltetés nélkül tud ide-oda lökdösni. Megmutatta mindenkinek, hogyan kell az olyasmiket csinálni, mint a „fél-nelson" és az „átfordítás", a „földre vitel" meg a többi.

Mikor a „tűzoltófogás" nevű mozdulathoz értünk, éreztem, hogy ott lenn eltávozott egy szellet, és el kell árulnom, hogy a birkózódressz gáztámadás esetén nem sokat ér.

Ekkor adtam hálát a szerencsémnek, hogy a lányok a terem másik részében tornásznak.

Mr. Underwood súlycsoportokra osztott bennünket. Egész boldog voltam, hogy nem Benny Wellszszel kellett birkóznom, aki százhúsz kilóval csinálja a fekvenyomást.

De mikor kiderült, hogy kivel KELL birkóznom, egyetlen szempillantás alatt elcseréltem volna Benny Wellsre.

Fregley volt az egyetlen, aki elég könnyű volt ahhoz, hogy az én súlycsoportomba kerüljön. Fregley persze nyilván figyelt, mikor Mr. Underwood magyarázott, mert minden létező módon képes volt leszorítani. A hetedik órát azzal töltöttem, hogy sokkal jobban megismertem Fregley-t, mint ahogy szerettem volna.

<u>Kedd</u>

Ez a birkózástanítás fenekestül felfordította az iskolát. A gyerekek most már a folyosón és az osztálytermekben is birkóztak. De az ebéd utáni tizenöt perc, amikor kiengedtek, az volt a legrosszabb.

Nem lehetett két métert menni anélkül, hogy az ember birkózó kölykökbe ne botlott volna. És előbb-utóbb valamelyik belehemperedik a Sajtba, és kezdődik elölről a sajtos tapi.

A másik problémám az volt, hogy minden nap Fregley-vel kellett birkóznom. De ma reggel rádöbbentem, ha el tudok mozdulni Fregley súlycsoportjából, soha többé nem kell vele birkóznom.

Úgyhogy ma rengeteg zoknival meg inggel tömtem ki magam, hogy egy súlycsoporttal feljebb kerüljek.

De még mindig túl könnyű voltam.

Rájöttem, hogy tényleg híznom kell. Először arra gondoltam, hogy nekiállok hizlaló, szemét kajákat enni, de aztán sokkal jobb ötletem támadt.

Úgy döntöttem, hogy IZOMBAN fogok hízni és nem hájban.

Eddig soha nem érdekelt, hogy izmosabb legyek, de a birkózás hatására újragondoltam a dolgokat.

Kitaláltam, ha most megizmosodom, az máskor is jól jöhet.

Tavasszal kezdődnek a fociedzések, és ilyenkor a csapatokat pólósokra és pólótlanokra osztják. És én MINDIG a pólótlanok közé kerülök.

Szerintem azért csinálják, hogy az összes ropi égjen

JAJ!

Ha most tudok egy kis izmot pakolni magamra,
akkor áprilisban egész más lesz a helyzet.

Ma este vacsora után összehívtam a szülőket,
hogy ismertessem velük a tervet. Közöltem, hogy
pár komoly erőgépre és néhány súlynövelő táp-
szerre van szükségem.

Megmutattam a testépítő magazinokat, amiket
a boltban vettem, és látni lehetett, hogy milyen
muszklis leszek majd.

Anya először szóhoz sem jutott, de apa egészen izgalomba jött. Azt hiszem, csak egyszerűen örült, hogy megváltoztattam a véleményemet, és már nem úgy gondolkodom, mint kiskoromban.

De anya azt mondta, ha súlyzókészletet akarok, be kell bizonyítanom, hogy képes vagyok a rendszeres testedzésre. Azt mondta, hogy csináljak felülést és terpeszugrásos karlendítést két hétig.

El kellett magyaráznom, hogy az egyetlen módja a totális megizmosodásnak, ha olyan high-tech gépeim lesznek, mint az edzőtermekben, de anya hallani sem akart róla.

Aztán apa azt mondta, ha fekvenyomó padot
akarok, akkor tartsam keresztben az ujjaimat
karácsonyig.

De karácsonyig még másfél hónap van. És ha
Fregley még egyszer lenyom, akkor idegösszeom-
lást kapok.

Szóval, úgy látszik, a szüleim nem lesznek a se-
gítségemre. Vagyis a dolgokat nekem kell kézbe
venni, mint rendesen.

Szombat

Alig várom, hogy ma elkezdhessem a súlyemelő
programomat. Bár anya nem engedélyezte a meg-
felelő eszköz beszerzését, nem hagytam, hogy
ez a csekélység hátráltasson.

Úgyhogy megcéloztam a hűtőt, kiürítettem a tejes és a narancsleves palackokat, és megtöltöttem őket homokkal. Aztán szigszalaggal egy söprűnyélhez erősítettem őket, és nagyon baba kis súlyzóm lett.

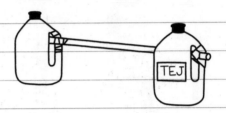

Ezután egy vasalódeszkából és pár dobozból súlyzópadot eszkábáltam. Mikor mindent öszszeszereltem, készen álltam, hogy elkezdjem a komoly edzést.

Szükségem volt egy segítőtársra, úgyhogy felhívtam Rowley-t. Mikor valami nevetséges szerelésben megjelent az ajtóban, tudtam, hogy ismét hibáztam.

Hagytam, hogy Rowley használja először a súly-
zópadot, főként, mert látni akartam, hogy tart-e
a söprűnyél.

Nagyjából ötször kinyomta, és kész lett vol-
na feladni, de nem hagytam neki. Erre való a jó
edzőtárs, hogy segítsen az embernek átlépni a
korlátait.

Tudtam, hogy Rowley nem lesz komoly súlyemelő,
mint én, ezért úgy döntöttem, hogy tesztelem,
mennyire elszánt.

Rowley sorozta közepén behoztam Rodrick mű-
orrát az álbajusszal, amit a kacatos fiókjában
tartott.

És mikor Rowley a súlyzót „lent" tartotta, fölé hajoltam és rámeredtem..

Az biztos, hogy Rowley TOTÁLISAN elveszítette a koncentráló képességét. Nem tudta felemelni a súlyzót a mellkasáról. Gondoltam, segítek neki, de aztán rádöbbentem, hogy Rowley nem gondolta komolyan a súlyzózást, és sose jut el az én szintemre.

Gyakorlatilag meg kellett mentenem, mert már a tejesdobozt harapdálta, és majdnem kifolyt belőle a homok.

Miután Rowley leszállt a súlyzópadról, eljött az ideje az én sorozatomnak. De Rowley azt mondta, már nem akar tovább súlyt emelni, úgyhogy hazament.

Tudod, sejtettem, hogy valami ilyen húzásra készül, de azt hiszem, nem várhatom, hogy más is ugyanolyan elszántan gyakorlatozzon, mint én.

Szerda

Ma földrajzból felelés volt, és mondhatom, már nagyon régóta vártam ezt az alkalmat.

Az egyes államok fővárosait kellett megnevezni, én pedig a terem hátsó részén ültem, az Egyesült Államok óriási térképe mellett. Az összes fővárost nagy piros betűkkel nyomtatták rá, úgyhogy biztosra vettem, tuti nyerő vagyok.

De mielőtt a felelés elkezdődött, Patty Farrell csipogni kezdett, és majd kiesett a padból a terem elején.

Patty azt javasolta Mr. Irának, hogy takarja le a térképet, mielőtt elkezdjük.

Így, Pattynek köszönhetően, elhasaltam. Mindenesetre keresem a módját, hogy visszafizethessem neki.

Csütörtök

Ma anya bejött a szobámba, és egy kis cédulát láttam a kezében. Amint megpillantottam, PONTOSAN tudtam, mi az.

Ezen jelentették be, hogy az iskola meghallgatást rendez a téli színdarab előadására. Öregem, ki kellett volna dobnom azonnal, mikor megpillantottam a konyhaasztalon.

KÖNYÖRÖGTEM anyának, hogy ne írasson fel. Ezek az iskolai darabok mindig valami zenés művek, és más sem hiányzik nekem, mint hogy szólót énekeljek az egész suli előtt.

De a könyörgésem csak arra volt jó, hogy meggyőzze anyát, igenis ott a helyem.

Azt mondta, hogy csak úgy lehetek „sokoldalú",
ha mindenféle dolgot kipróbálok.

Apa bejött a szobámba, hogy megnézze, mi fo-
lyik. Mondtam neki, hogy anya fel akar íratni az
iskolai darabra, és járnom kell a próbákra, ami
teljesen felborítja a súlyemelő programomat.

Tudtam, hogyan állítsam apát a saját oldalamra.
Aztán a szüleim vitatkoztak egy sort, de apa a
nyomába sem érhet anyának.

Vagyis holnap el kell mennem az iskolai színdarab
meghallgatására.

Péntek
Az idén az „Óz, a csodák csodája" című darabot
adják elő. Egy csomó gyerek viselt jelmezt, je-
lezve, melyik szerepre jelentkeznek.

Én nem láttam a filmet, úgyhogy olyan érzésem volt, mintha dilisek műsorába csöppentem volna.

Mrs. Norton, a zenei rendező elénekeltette velünk közösen a „Te vagy az én hazám" című dalt, hogy hallja az énekhangunkat. Én egy csomó olyan gyerekkel énekeltem együtt, akiknek szintén az anyukája ragaszkodott a szerepléshez. Megpróbáltam olyan halkan énekelni, amilyen halkan csak tudtam, de persze kihallatszottam.

Fogalmam sincs, mi az a „szoprán", de abból, aho-
gyan a lányok vihogtak, tudtam, hogy nem jó dolog.

A válogatás a végtelenségbe nyúlt. A nagy finálé
Dorothy meghallgatása volt, aki szerintem a darab
főszereplője.

És ki próbálkozott először? Nem más, mint Patty
Farrell.

Arra gondoltam, hogy a Boszorkány szerepé-
re próbálok jelentkezni, mert hallottam, hogy
a darabban egy csomó gonoszságot követ el
Dorothyval.

De aztán valaki mondta, hogy van egy jó boszor-
kány meg egy gonosz boszorkány, és amilyen az én
szerencsém, engem biztosan a jónak választanak.

Hétfő

Reméltem, hogy Mrs. Norton egyszerűen kihagy a darabból, de ma azt mondta, hogy mindenki kap szerepet, aki jelentkezett. Micsoda szerencse!

Mrs. Norton levetítette az „Óz, a csodák csodája" című filmet, hogy mindenki ismerje a történetet. Megpróbáltam kitalálni, milyen szerepet játsszak, de minden szereplőnek előbb vagy utóbb táncolnia és énekelnie kellett. De nagyjából a történet felénél rájöttem, melyik szerepre fogok jelentkezni. Az egyik Fa leszek, mert 1) nem kell énekelni és 2) mert a Fák megdobálják almával Dorothyt.

Ha közönség előtt megdobálhatnám Patty Farrellt almával, az olyan, mintha az álmom válna valóra. Esetleg utólag megköszönöm anyának, hogy szerepelhettem.

Mikor vége lett a filmnek, jelentkeztem Fának. Sajnos egy csomó srácnak jutott ugyanez az eszébe. Azt gyanítom, sok fiúnak van törlesztenivalója Patty Farrellel szemben.

Szerda

Anya mindig azt szokta mondani, az ember vigyázzon, mit kíván. Úgy döntöttem, Fa leszek, de nem tudtam, hogy a Fa jelmezén nincsenek karlyukak, úgyhogy gyanítom, ez lehetetlenné teszi, hogy almát hajigáljak.

Talán azért is hálás lehetek, mert beszélő sze-
rep jutott nekem. Olyan sok gyerek jelentkezett,
hogy nincs elég szerep, ezért elkezdtek új sze-
repeket írni a darabba.

Rodney James például a Bádogember szerepére
jelentkezett, de végül Bokorként végezte.

Péntek

Emlékszel, mikor azt mondtam, micsoda szeren-
cse, hogy beszélő szerepet kaptam? Nos, ma
kiderült, hogy csak egy mondatom van az egész
darabban. Akkor mondom, mikor Dorothy leszed
egy almát az egyik ágamról.

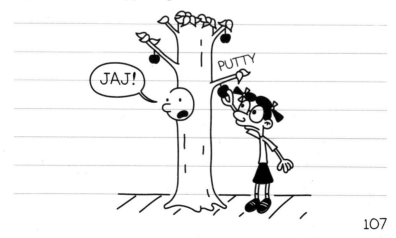

Ez azt jelenti, hogy minden nap két órát kell próbálnom ahhoz, hogy elmondhassam ezt az ostoba szót.

Kezdem azt hinni, hogy Rodney James jobb üzletet csinált Bokorként. Kitalálta, hogy videójátékot csempész be a jelmeze alá, és lefogadom, hogy jól múlatja az időt.

Úgyhogy elkezdtem azon gondolkodni, hogyan rúgassam ki magam Mrs. Nortonnal a darabból. De ha az embernek csak egy szót kell mondania, akkor tényleg nehéz belezavarodni a szövegbe.

DECEMBER

Csütörtök

Pár nap múlva lesz az előadás, és fogalmam sincs, hogyan ússzuk meg.

Először is, senki nem vette a fáradságot, hogy megtanulja a szöveget, ami Mrs. Norton hibája.

A próbák alatt Mrs. Norton a színpad mellől súgta mindenkinek a szövegét.

Kíváncsi leszek, mi lesz jövő kedden, mikor Mrs. Norton a zongoránál ül, tízméterre tőlünk.

Másodszor, azért fogunk mindent összekutyulni, mert Mrs. Norton folyton új jelenetekkel és szereplőkkel gazdagította a darabot.

Tegnap behozott egy elsőst, hogy Dorothy kutyáját, Totót alakítsa. De ma beviharzott a kölyök mamája, és közölte, ragaszkodik hozzá, hogy a gyereke két lábon járjon, mert a négykézláb mászás túl „megalázó".

Most van egy kutya, aki két lábon fog mászkálni végig a darabban.

De a legrosszabb változtatás, hogy Mrs. Norton írt egy dalt nekünk, FÁKNAK. Azt mondta, mindenki „megérdemli" a lehetőséget, hogy énekeljen az előadáson.

Úgyhogy ma egy teljes órát töltöttünk a világon valaha írt legpocsékabb dal megtanulásával.

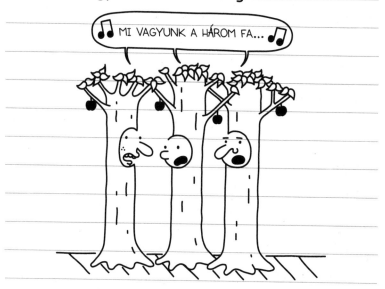

Hála az égnek, Rodrick nem jön el az előadásra, és nem látja, hogyan égek le. Mrs. Norton azt mondta, hogy az előadás „félig ünnepélyes alkalom" lesz, és tudom, hogy Rodrick a világ minden kincséért sem kötne nyakkendőt egy iskolai darab kedvéért.

De ma nem is volt rossz. A próba vége felé Archie Kelly megbotlott Rodney Jamesben, és letörött a foga, mert nem tudta kitenni a kezét, hogy tompítsa az esést.

A jó hír, hogy vágtak ránk karlyukat az előadásra.

Kedd

Ma este lesz az „Óz, a csodák csodája" iskolai bemutatója. Már az előadás kezdete előtt éreztem, hogy nem fog minden simán menni.

Kikukucskáltam a függönyön, hogy lássam, mennyi ember jött el megnézni a darabot. Sejted, ki állt közvetlenül a függöny előtt? A bátyám, Rodrick, felcsíptethető nyakkendőben.

Bizonyára kiderítette, hogy énekelek, és nem tudott ellenállni a lehetőségnek, hogy megnézze, hogyan égetem magam.

A darabnak 8-kor kellett volna kezdődnie, de el kellett halasztani a kezdést, mert Rodney James lámpalázas lett.

Azt hinné az ember, ha valakinek csak az a dolga, hogy a színpadon üljön, és ne csináljon semmit, akkor egyetlen előadásra képes felszívni magát. De Rodney meg sem tudott mozdulni, úgyhogy a mamájának kellett levinnie a színpadról.

Az előadás 8:30 -kor végre elkezdődött. Ahogy meg-jósoltam, senki nem emlékezett a szövegére , de Mrs. Norton a zongoránál mozgásban tartotta a dolgokat.

A Totót játszó gyerek hozott egy széket a szín-
padra meg egy csomó képregényt, ezzel romba
döntötte az egész „kutya"-hatást.

Mikor az erdei jelenet következett, én meg a többi
fa a helyünkre ugráltunk. Felemelkedett a függöny,
és mikor felért, meghallottam Manny hangját.

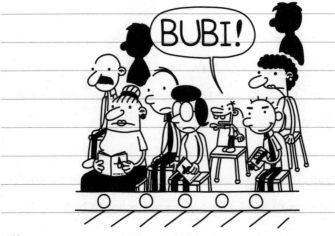

Remek! Öt évig képes voltam titokban tartani ezt a becenevet, és most hirtelen az egész város megtudja. Éreztem, hogy körülbelül 300 szempár tapad rám.

Így aztán gyorsan rögtönöztem, és továbbadtam a cikit Archie Kellynek.

De a nagy égés csak ezután következett. Mikor meghallottam, hogy Mrs. Norton a „Mi vagyunk a három fa" első pár taktusát játssza, úgy éreztem, kiugrik a gyomrom.

A közönségre pillantottam, és észrevettem, hogy Rodrick egy videókamerát tart a kezében.

Tudtam, ha énekelek, és Rodrick felveszi, akkor örökre megtartja a szalagot, és arra használja, hogy eljövendő életem során minden lehetséges alkalommal megalázzon.

Nem tudtam, mitévő legyek, úgyhogy, mikor az éneklésre került a sor, egyszerűen befogtam a számat.

Pár pillanatig jól mentek a dolgok. Rájöttem, ha gyakorlatilag nem énekelek, akkor Rodricknak nem lesz mit a homlokomhoz szorítania. De pár pillanat múlva a Fák észrevették, hogy nem énekelek.

Bizonyára azt gondolták, hogy tudok valamit, amit ők nem, és ők is abbahagyták az éneklést.

Végül mind a hárman csak álltunk ott, és egy mukkot se szóltunk. Mrs. Norton bizonyára azt hitte, hogy elfelejtettük a dal szövegét, mert odajött a színpadnak arra az oldalára, ahol álltunk, és tovább suttogta a szöveget.

A dal nagyjából három percig tart, de nekem másfél órának tűnt. Csak azon imádkoztam, hogy húzzák már le a függönyt, hogy kiugrálhassunk a színpadról.

Akkor vettem észre, hogy Patty Farrell ott áll az oldalkulisszáknál. És ha a pillantás ölni tudna, mi Fák ott állva haltunk volna meg. Talán azt hitte, hogy csökkentjük az esélyeit, hogy a Broadway csillaga legyen vagy mi?

Mikor megpillantottam, eszembe jutott, első menetben miért is jelentkeztem Fának.

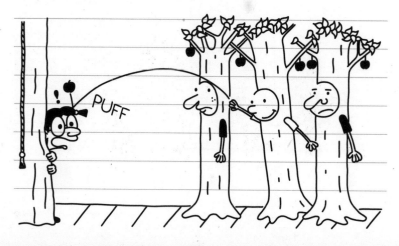

Nemsokára a többi Fa is elkezdett almát dobálni. Azt hiszem, még Totó is részt vett a jelenetben.

Valaki ledobta Patty fejéről a szemüveget, és az egyik lencse eltört. Mrs. Nortonnak ezek után be kellett fejeznie az előadást, mert Patty két lépésre sem lát el a szemüvege nélkül.

Miután vége szakadt az előadásnak, együtt ment haza az egész család. Anya hozott egy virágcsokrot. Azt hiszem, nekem szánta, de kifelé menet a szemétkosárban landolt.

Csak remélni tudtam, hogy mindenki, aki látta a darabot, ugyanolyan jól szórakozott, mint én.

Szerda

Nos, ha valami jó kisült a darabból, hát az, hogy nem kell többé aggódnom a Bubi becenév miatt.

Láttam, amint Archie Kelly bunyóba keveredett a folyosón az ötödik óra után, úgyhogy végre fellélegezhettem egy kicsit.

Vasárnap

Míg ezek a dolgok lezajlottak az iskolában, nem is maradt időm a karácsonyon gondolkodni. És alig tíz nap van már csak hátra.

Valójában karácsony közeledtével csak az az egy dolog foglalkoztatott, hogy Rodrick mikor rakja ki a hűtőre a kívánságlistáját.

Rodrick
kívánságlistája

1. Új dobok
2. Új teherautó
3. Zsugorított fej

Én általában hosszú kívánságlistát állítok össze minden évben, de idén karácsonyra csak a Gonosz varázsló című videójátékot szeretném.

Ma anya végignézte a karácsonyi katalógust, piros tollal kipipálta az összes dolgot, amit szeretne. Manny minden játékot bekarikázott a katalógusban. Még az olyan tényleg drága dolgokat is, mint az óriás motoros autó meg ilyenek.

Úgy döntöttem, hogy közbelépek, és ellátom néhány testvéri tanáccsal.

Mondtam neki, ha azokat is bekarikázza, amik túl drágák, akkor egy csomó ruhával fogja zárni a karácsonyt. Azt javasoltam, hogy inkább válasszon ki három vagy négy közepes árfekvésű ajándékot, és így kap pár olyan dolgot is, amit szeretne.

De persze Manny megint csak mindent bekarikázott. Úgyhogy gyanítom, hogy kénytelen lesz a saját kárán tanulni.

Hétéves koromban egyetlen dolgot szerettem volna igazán karácsonyra, egy Barbie Álomházat. De NEM azért, mert szeretem a lányos játékokat, ahogy Rodrick állítja.

Egyszerűen úgy gondoltam, kitűnő erőd lesz a katonáim számára.

Mikor anya és apa meglátta az évi ajándéklistámat, valóságos háború tört ki miatta. Apa azt mondta, hogy semmi szín alatt nem hajlandó nekem babaházat venni, de anya azt mondta, hogy egészséges, ha „kikísérletezem", milyen játékokkal akarok játszani.

Akár hiszitek, akár nem, apa végül megnyerte a vitát. Azt mondta, hogy készítsek új listát, ami jobban „illik" egy fiúhoz.

De volt egy titkos fegyverem karácsony közeledtével. Charlie bácsi, a nagybátyám, mindig megvette, amit csak akartam. Mondtam neki, hogy Barbie Álomházat akarok, és ő azt válaszolta, hogy majd leakaszt egyet.

Karácsonykor, mikor Charlie bácsi átadta az ajándékát, NEM az volt, amit kértem. Bizonyára bement a játékboltba, és megvette az első dolgot, amire az volt írva: Barbie.

Szóval, ha olyan képet látsz rólam, amin egy Beach Fun Barbie-t tartok a kezemben, most már legalább tudod a történetét.

Apa nem volt igazán boldog, mikor meglátta, mit vett nekem Charlie bácsi. Azt mondta, vagy dobjam el, vagy ajándékozzam el jótékony célra.

De én megtartottam. Rendben, bevallom, talán egyszer-kétszer játszottam is vele.

Így végeztem az orvosi ügyeleten egy rózsaszín Barbie cipővel az orromban. És hidd el, Rodrick EZT a történetet sose hallotta tőlem.

Csütörtök

Ma anyával elmentünk, hogy vegyünk valami ajándékot az Ajándékfára a templomban. Az Ajándékfa egyfajta titkos Mikulásféle dolog, ahol a rászorulók ajándékot kapnak.

Anya kiválasztott egy piros gyapjúpulóvert az egyik rászorulónak.

Megpróbáltam rábeszélni, hogy valami dögösebbet vegyünk, mondjuk tévét vagy léfacsaró gépet vagy valami ilyesmit.

Mert elképzeltem, milyen, ha az ember csak egy gyapjúpulóvert kap karácsonyra.

Biztos vagyok benne, hogy a mi megajándékozottunk a szemétbe dobja a pulóvert a tíz doboz dzsem társaságában, amit a hálaadási élelmiszerküldő szolgálattal továbbítottunk.

Karácsony

Mikor reggel felébredtem és lementem, nagyjából egymillió ajándék fogadott a fa alatt. De mikor elkezdtem kutatni, alig találtam olyat, amin az én nevem szerepelt.

De Manny tarolt, mint egy útonálló. Nem hazudok, MINDEN egyes dolgot megkapott, amit bekarikázott a katalógusban. Lefogadom, boldog, hogy nem hallgatott rám.

Találtam pár dolgot, amin az én nevem szerepelt, de azok főleg könyvek, zoknik meg ilyesmik voltak.

A sarokban bontottam ki, a dívány mögött, mert nem szeretem apa előtt bontani az ajándékokat. Valahányszor valaki kibontja a csomagját, apa ott terem és feltakarít.

Egy játék helikoptert adtam Mannynak, Rodricknak egy rockzenekarokról szóló könyvet. Rodrick is egy könyvet adott nekem, de nem csomagolta be. A könyv címe a „Kisügyes legjobb történetei". A „Kisügyes" a legrosszabb képregény az újságban, és Rodrick tudja, hogy mennyire utálom. Azt hiszem, ez a negyedik év, hogy zsinórban „Kisügyes" könyvet kapok tőle ajándékba.

Átadtam anya és apa ajándékát is. Minden évben ugyanolyan dolgokat veszek nekik, de a szülők imádják az ilyesmit.

A többi rokon nagyjából 11 tájban kezdett gyülekezni, Charlie bácsi pedig délben érkezett.

Charlie bácsi egy hatalmas zsákot hozott, tele ajándékkal, és az én ajándékomat húzta elő a zsák tetejéről.

A csomag egészen egyezett a Gonosz varázsló című videójáték méretével és alakjával, úgyhogy tudtam, Charlie bácsi beváltja a hozzá fűzött reményeket. Anya előkészítette a fényképezőgépet, és én feltéptem a csomagot.

De a csomag csak Charlie bácsi 8X10-es fényké-
pét rejtette.

Gyanítom, nem igazán sikerült elrejtenem a
csalódásomat, és anya be is rágott. Csak annyit
tudok mondani, örülök, hogy még gyerek vagyok,
mert ha örülnöm kellene az olyan ajándékoknak,
amilyeneket a felnőttek kapnak, nem biztos, hogy
sikerülne.

Felmentem a szobámba, hogy pihenjek egy kicsit.
Pár perccel később apa kopogtatott az ajtón. Azt
mondta, hogy az ajándékom kint van a garázsban,
mert túl nagy, hogy becsomagolják.

És mikor lementem a garázsba, ott volt egy vado-
natúj súlyzókészlet.

Biztosan egy vagyonba került. Nem volt szívem megmondani apának, hogy egy kicsit lanyhult az érdeklődésem az egész súlyemelés iránt, mikor a múlt héten véget ért a birkózás. Ehelyett csak annyit mondtam, „kösz".

Azt hiszem, apa azt várta, hogy ledobom magam, és nyomok párat vagy valami, de csak elnézést kértem, és újból bementem.

Nagyjából 6-ra minden rokon elhúzta a csíkot.

A díványon ültem, és néztem, ahogy Manny játszik a játékaival, és sajnáltam magam. Aztán anya odajött hozzám, és azt mondta, hogy talált egy ajándékot a zongora mögött a nevemmel a „Mikulástól".

A doboz túl nagy volt a Gonosz varázslóhoz,
de anya már előadta ugyanezt a „nagy doboz"
trükköt tavaly is, mikor memóriakártyát vett a
videójátékomhoz.

Úgyhogy felszakítottam a csomagolást, és elő-
húztam az ajándékomat. Csakhogy az nem a
Gonosz varázsló volt, hanem egy hatalmas, piros
gyapjúpulóver.

Először azt hittem, anya valami gonosz tréfát űz
velem, mert ez a pulóver ugyanolyan volt, mint
amilyet az Ajándékfára vettünk

De anya is eléggé zavarba jött. Azt mondta, hogy
ő VETT nekem egy videójátékot, és hogy fogalma
sincs, hogyan került a pulóver az én dobozomba.

Én persze tudtam a megoldást. Megmondtam anyának, hogy bizonyára összekevert valamit, és hogy én kaptam az Ajándékfás fickó ajándékát, ő meg az enyémet.

Anya mondta, hogy ugyanolyan csomagolópapírba csomagolta mindkettőnk ajándékát, úgyhogy bizonyára rossz nevet írt az ajándékkísérőkre.

De aztán anya azt mondta, hogy ez tényleg jó dolog, mert az Ajándékfa megajándékozottja bizonyára nagyon örül egy ilyen hatalmas ajándéknak.

El kellett neki magyaráznom, hogy kell egy készü-
lék meg egy tévé, hogy az ember játszani tudjon
a Gonosz varázslóval, úgyhogy ez a játék teljesen
haszontalan a számára.

Lehet, hogy az én karácsonyi ajándékom nem volt
valami nagy durranás, de biztos vagyok benne,
hogy az Ajándékfa megajándékozottja sokkal
rosszabbul járt.

Úgy döntöttem, bedobom a törülközőt erre a
karácsonyra, és elindultam Rowley-ékhoz.

Elfelejtettem ajándékot venni Rowley-nak, úgyhogy kötöttem egy szalagot a „Kisügyes" könyvre, amit Rodricktól kaptam.

És ez úgy látszott, bejött.

Rowley szüleinek sok pénzük van, úgyhogy tőlük mindig valami komoly ajándékra számíthatok.

De Rowley azt mondta, hogy az idén ő maga választotta ki az ajándékomat. Aztán kivitt, hogy megmutassa, mi az.

Abból, ahogy Rowley örvendezett az ajándéknak, azt hittem, legalábbis egy nagyképernyős tévét, vagy motorbiciklit, vagy valami hasonlót kapok.

De reményeim ismét túl magasra szárnyaltak.

Rowley egy háromkerekű biciklit adott nekem. Azt hiszem, harmadikos koromban nagyon menő ajándéknak tartottam volna, de fogalmam sincs, hogy most mihez kezdhetnék vele.

Rowley annyira el volt ragadtatva tőle, hogy igyekeztem jó képet vágni a dologhoz.

HÁÁT, KÖSZ!

Kimentünk a hátsó kertjükbe, és Rowley megmutatta a karácsonyi zsákmányát.

Sokkal több mindent kapott, mint én. Még Gonosz varázslót is, legalább addig játszhatok vele, míg Rowley apja rá nem jön, hogy milyen erőszakos.

És öregem, még embert nem láttam olyan boldognak, mint Rowleyt a „Kisügyes" című könyvvel.
A mamája mondta, hogy ez volt az egyetlen tétel a listán, amit nem tudott megvenni.

Nos, örültem, hogy legalább VALAKI azt kapta, amire vágyott.

Szilveszter napja

Ha valakit érdekel, hogy mit csinálok szilveszter este 9-kor a szobámban, akkor felvilágosítom.

Nemrég Mannyvel lovacskáztunk az alagsorban. Aztán találtam egy kis fekete fonaldarabot a szőnyegen, és azt mondtam Mannynek, hogy pók.

Aztán fölé tartottam, mintha meg akarnám etetni vele.

Már éppen el akartam engedni Mannyt, mikor elütötte a kezemet, és én elejtettem a fonaldarabot. És nem fogod elhinni! Az a bolond lenyelte.

Hát, Manny teljesen elvesztette az eszét. Föl-
rohant anyához, és én rögtön tudtam, hogy nagy
bajba kerültem.

Manny elmondta anyának, hogy megetettem vele
egy pókot. Mondtam, hogy nem pók volt, csak egy
kis gömb alakú fonaldarab.

Anya odavitte Mannyt a konyhaasztalhoz. Kitett
elé egy magot, egy mazsolát és egy szőlőszemet
egy tányérra, és megkérte Mannyt, mutassa meg,
körülbelül mekkora volt a mérete annak a fonal-
darabnak, amit lenyelt.

Manny egy darabig nézte a tányérra kirakott dolgokat.

Aztán odament a hűtőszekrényhez, és kivett egy narancsot.

Hát ezért zavartak 7-kor a szobámba, és nem nézhetem lent a tévében a szilveszteri különkiadást.

Az egyetlen újévi fogadalmam, hogy soha többé nem játszom Mannyvel.

JANUÁR

Kitaláltam, hogyan lehetne mégis valahogy szórakozni a triciklivel, amit Rowley-tól kaptam karácsonyra. Az a játék lényege, hogy egyikünk legurul a dombról, és a másik megpróbálja eltalálni egy labdával.

Rowley gurult le elsőként a dombról, és én voltam a dobó.

Sokkal nehezebb egy mozgó célpontot eltalálni, mint gondoltam. Ráadásul nem is volt módom sokat gyakorolni. Rowley-nak nagyjából tíz percig tartott, míg minden egyes legurulás után fölballagott a triciklivel a dombra.

Rowley folyton azt kérte, hogy cseréljünk helyet, és én üljek a triciklire, de nem vagyok bolond. Az az izé 50 kilométer per órás sebességgel száguld, és még fékje sincs.

Egyébként aznap egyszer sem találtam el Rowley-t. De gyanítom, lesz min munkálkodnom a téli szünetben.

Csütörtök

Ma el akartam menni Rowley-hoz, hogy játsszunk a háromkerekűvel, de anya azt mondta, előbb írjam meg a karácsonyi köszönőleveleket, mielőtt bárhova mennék.

Azt hittem, hogy fél óra alatt lefirkantom az egészet, de mikor a megírásra került a sor, csütörtököt mondott az agyam.

Be kell vallanom, nem könnyű köszönőkártyákat írni, ha az ember nem akarja.

A nem ruhás ajándékok megköszönésével kezdtem, mert úgy gondoltam, ez az egyszerűbb. De két vagy három kártya megírása után rájöttem, hogy gyakorlatilag ugyanazt írtam minden alkalommal.

Úgyhogy készítettem egy általános formulát, kihagytam a helyet azoknak a dolgoknak, amiket változtatni kell. Onnantól kezdve ment minden, mint a karikacsapás.

Kedves .... LYDIA NÉNI ....!

Nagyon köszönöm a csodálatos ... ENCIKLOPÉDIÁT ..!

Honnan tudtad, hogy pont ezt szerettem volna karácsonyra? Nagyon jól mutat az .. ENCIKLOPÉDIA .. a ... POLCOMON ..! A barátaim irigyelni fognak, hogy nekem saját ..... ENCIKLOPÉDIÁM ..... van.

Köszönöm, hogy ilyen nagy örömet szereztél nekem karácsonyra!

Szeretettel: GREG

A rendszer egész jól működött az első pár ajándéknál, de aztán már nem annyira.

Kedves .... LORETTA NÉNI ...!

Nagyon köszönöm a csodálatos ...... NADRÁGOT ....!

Honnan tudtad, hogy pont ezt szerettem volna karácsonyra? Nagyon jól mutat az ...... NADRÁG .... a .... LÁBAMON ...! A barátaim irigyelni fognak, hogy nekem saját .... NADRÁGOM ...... van.

Köszönöm, hogy ilyen nagy örömet szereztél nekem karácsonyra!

Szeretettel: GREG

Péntek

Ma végre sikerült Rowley-t ledobnom a tricikliről, de nem úgy történt, ahogy terveztem. Megpróbáltam vállon dobni, de elvétettem, és a labda az első kerék alá került.

Rowley megpróbálta tompítani az esést azzal, hogy kitette a karját, de ráesett a bal kezére. Úgy számítottam, hogy egyszerűen megrázza magát, és újból felszáll a bringára, de nem úgy történt.

Megpróbáltam felvidítani, de még azok a vicceim sem használtak, amiktől mindig fülig ér a szája.

Akkor tudtam, hogy komolyan megsérült.

Hétfő

A téli szünet véget ért. Emlékeztek Rowley tri-
cikli balesetére? Nos, eltörte a karját, és begip-
szelték. Ma mindenki köréje gyűlt, mintha valami
hős lenne.

Megpróbáltam kihasználni Rowley új népszerűségét, de visszaütött.

Ebédnél a lányok odahívták Rowley-t az asztalukhoz, hogy tudják ETETNI.

Attól akadtam ki igazán, hogy Rowley jobbkezes, és a BAL karja törött el. Úgyhogy kitűnően tudott enni.

Kedd

Rájöttem, hogy Rowley sérülése egész jó dolog, és úgy döntöttem, hogy én is beszerzek egyet.

Fogtam egy csomó gézt, és betekertem vele a kezemet, hogy úgy nézzen ki, mintha megsérültem volna.

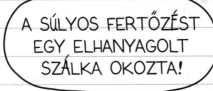

Nem értettem, hogy a lányok miért nem rajzanak körülöttem, mint ahogy Rowley körül, aztán rájöttem, mi a baj.

Nos, a gipsz okozza az egész hajcihőt, mert mindenki rá akarja írni a nevét. De nem könnyű a gézre tollal írni.

Úgyhogy rájöttem a megoldásra, aminek a hatásáról meg voltam győződve.

Az ötlet totális kudarcba fulladt. A kötésem végül csak pár ember figyelmét keltette fel, de higgyétek el, nem az ő társaságukra vágytam.

Hétfő

A múlt héten kezdtük a harmadik negyedévet, úgyhogy egy csomó új tárgyunk van. Az egyik tantárgy, amire feliratkoztam, az úgynevezett „független tanulmányok".

Az emelt szintű háztartási ismeretekre akartam jelentkezni, mert egész jó voltam az alap szintű háztartási ismeretekből.

De ha az ember egész jól varr, az még nem jelenti, hogy javul a népszerűsége a suliban.

Egyébként ez a „független tanulmányok"- dolog kísérleti tantárgy, amit most először próbálnak ki az iskolában.

Az a lényege, hogy az osztály választ egy meghatározott projektet, és a negyedév során ezt kell közösen kidolgozni, mégpedig tanári segítség nélkül.

Ha elkészülünk, a csoportból mindenki ugyanazt a jegyet kapja. Rájöttem, hogy Ricky Fisher is az én csoportomban van, ami a továbbiakban még komoly gondot jelenthet.

Ricky úgy akar hírnévre szert tenni, hogy lekapar egy rágót az egyik pad aljáról, és elrágja, ha fizetsz neki 50 centet. Úgyhogy nincsenek túl nagy reményeim az év végi jegyünket illetően.

Kedd

Ma volt a témaválasztás a független tanulmányok nevű tárgyból. Mit gondolsz, nekünk mi jutott? Robotot kell építenünk.

Először mindenki kiakadt, mert azt hittük, hogy meg kell építeni a robotot a firkálmányaink alapján.

De Mr. Darnell mondta, hogy nem szükséges megépítenünk a robotot. Elég, ha kitaláljuk, milyen legyen a robot, és milyen dolgokra legyen képes.

Aztán kiment a teremből, és mi magunkra maradtunk. Rögtön elkezdtük szórni az ötleteket. Egy csomó ötletet felírtam a táblára.

A ROBOT MEGCSINÁLJA
a házi feladatot,
elmosogat,
reggelit készít,
megmossa a fogamat

Mindenkit lenyűgöztek az ötleteim, de egyáltalán nem volt nehéz a dolog. Csak le kellett írnom mindazt, amit utálok.

De felállt pár lány az első padokból, és közölték, hogy nekik is van pár ötletük. Letörölték a listámat, és felvázolták saját tervüket.

Olyan robotot akartak, amely randitanácsokkal látja el őket, és tízféle ajakrúzs van az ujjhegyeire csatlakoztatva.

Mi, fiúk, úgy láttuk, hogy ez a legostobább ötlet, amit valaha hallottunk. Végül két csoportra szakadtunk, lányokra és fiúkra. A fiúk átmentek a terem másik végébe, míg a lányok körbeállva beszélgettek.

Most, hogy a komolyan dolgozók egy helyre kerültek, nekiláttunk. Valaki felvetette, hogy ha valaki megmondja a nevét a robotnak, akkor a robot is megmondja az övét.

De aztán valaki kijelentette, hogy ne legyen szabad csúnya szavakat használni a név helyett, mert nem szép, ha egy robot káromkodik.

Úgyhogy elhatároztuk, hogy összeállítjuk a csúnya szavak listáját, de aztán Ricky Fisher előállt még hússzal, amikről mi többiek még csak nem is hallottunk.

Így végül kiderült, hogy Ricky a projekt legértékesebb tagja.

Mielőtt megszólalt a csengő, Mr. Darnell bejött az osztályba, hogy ellenőrizze, mire jutottunk. Felvette a papírt, amit írtunk, és átolvasta.

Hogy ne szaporítsam feleslegesen a szót, a „független tanulmányok" című tantárgyat az év hátralévő részére törölték az órarendből.

Legalábbis a fiúk esetében. Úgyhogy, ha a robotoknak a jövőben rózsaszínű rúzs lesz az ujjuk helyén, akkor legalább tudjátok, hogyan kezdődött.

Csütörtök

Ma az iskolában megnéztük a „Nagyszerű, hogy én én vagyok" című filmet, amit minden évben megnézetnek velünk.

A film arról szól, hogyan örüljünk annak, akik vagyunk, és ne változtassunk meg semmit magunkban.

Őszintén szólva, azt hiszem, ez tényleg ostoba üzenet, különösen ha bizonyos egyénekről van szó az iskolában.

Később bejelentették, hogy üresedés van a „biztonsági őrség" soraiban, és ez elgondolkodtatott.

Ha valaki biztonsági őr lesz, megakadályozhatja az ilyesmit. Úgy számítottam, nekem is elkel egy kis extra védelem.

Azonkívül rájöttem, hogy talán a hatalmi pozíció is jót tenne nekem.

Bementem Mr. Winsky irodájába és jelentkez-
tem, és rávettem Rowley-t is. Azt hittem, hogy
Mr. Winsky gyakorlatoztat bennünket, ki-a-mel-
let-be-a-hasat modorban, hogy bebizonyítsuk
alkalmasságunkat, de csak átadta az öveket és a
jelvényeket.

Mr. Winsky azt mondta, hogy különleges megbízatást kapunk. Az iskola közvetlenül az alsósok sulija mellett van, és fél napos óvoda is működik az épületben.

Azt szeretné, ha délben hazakísérnénk a reggeli csoportot. Rájöttem, hogy ez azt jelenti, hogy húsz percet lóghatunk a matekról. Erre Rowley is rájött, mert elkezdett örvendezni. De az asztal alatt jól belecsíptem, mielőtt még be tudta volna fejezni a mondatot.

Alig hittem el, hogy ekkora szerencsém van. Engedéllyel lóghatok a matekról, és a kisujjamat sem kell mozdítanom.

Kedd

Ma van az első napunk a biztonsági őrségnél. Nekem meg Rowley-nak nincs állomáshelyünk, mint a többi őrnek, ez azt jelenti, hogy nem kell a dermesztő hidegben ácsorogni az iskola előtt.

De ez természetesen nem akadályozott meg bennünket abban, hogy bemenjünk az étterembe, és felhörpintsük az őröknek járó, ingyenes forró csokoládét.

KOCC

A másik nagyszerű hozadéka, hogy tíz percet késhet az ember az első óráról.

JÓ REGGELT!

Mondhatom, jól jártam ezzel a biztonsági őr dologgal.

12:15-kor Rowley-val elhagytuk az iskolát, és átmentünk az óvodába. Az egész út negyvenöt percig tartott, és csak húsz perc maradt a matekórából, mire visszaértünk.

A gyerekeket hazakísérni nem nagy fáradság. De az egyik óvodás furcsán szaglani kezdett, és azt hiszem, kisebb baleset történt a nadrágjában.

Megpróbálta tudatni velem, de én rezzenéstelen arccal néztem előre és mentem tovább. Hazaviszem őket, de a pelenkacsere-szolgálat nem tartozik a munkakörömbe.

FEBRUÁR

<u>Szerda</u>

Ma először havazott a télen, és nem volt iskola.
Dolgozatot írtunk volna matekon, és én valahogy
leromlottam, amióta biztonsági őr vagyok. Úgy-
hogy megkönnyebbültem.

Felhívtam Rowley-t, hogy jöjjön át. Az utóbbi
pár évben folyton azt terveztük, hogy felépítjük
a világ legnagyobb hóemberét.

És mikor azt mondom, hogy a világ legnagyobb
hóemberét, nem tréfálok. Az a célunk, hogy be-
kerüljünk a Guinness rekordok könyvébe.

KATT

De valahányszor komolyan nekiláttunk a rekord-
kísérletnek, az összes hó elolvadt, és vele együtt
a mi lehetőségeink is. Úgyhogy ebben az évben
rögtön akcióba akartam lendülni.

Rowley átjött, és azonnal nekiálltunk az első
hógolyó elkészítésének. Kiszámítottam, hogy az
alapnak legalább két és fél méter magasnak kell
lennie, ha meg akarjuk dönteni a rekordot. Egy
idő után irtó nehéz lett a hógolyó, úgyhogy sűrűn
meg kellett pihennünk görgetés közben, mert
kifulladtunk.

Épp akkor is pihentünk, amikor anya a zöldséges-
hez indult, és a hógolyónk eltorlaszolta az utat a
kocsija elől. Jól jött nekünk ez a kis ingyen munka.

A pihenés után Rowley-val addig görgettük a
golyót, míg aztán már nem ment tovább. De csak
akkor láttuk, mit alkottunk, amikor hátranéztünk.

A hógolyó olyan nehéz lett, hogy az összes gyep-téglát felszedte, amit apa az ősszel lefektetett.

Reméltem, hogy még esik pár centi hó, és elfe-di a nyomainkat, de ahogy lenni szokott, elállt a havazás.

A világbajnok hóember elkészítésének terve kezdett szertefoszlani. Úgyhogy újabb ötlettel álltam elő.

Amikor havazik, a Forgó utcai kölykök mindig a mi dombunkat használják szánkózásra, pedig elég messze van tőlük.

Úgyhogy holnap reggel, ha fel akarnak masírozni a dombunkra, Rowley-val megtanítjuk őket kesztyűbe dudálni.

Csütörtök

Mikor ma reggel felkeltem, máris olvadni kezdett a hó. Úgyhogy mondtam Rowley-nak, siessen és ügessen át hozzánk.

Míg rá vártam, azt figyeltem, Manny hogyan építi a hóemberét a szánalmas kis hófoltokból, amik a mi hógolyónk után maradtak.

Valahogy fura érzés volt nézni.

Tényleg nem tehettem arról, ami ekkor jött. Apa pedig, sajnos, pont abban a pillanatban nézett ki az ablakon.

Apa MÁR előtte is dühös volt rám, mert felszaggattam a gyepet, úgyhogy tudtam, megint benne vagyok a szószban. Hallottam, hogy nyílik a garázsajtó, és apa jön kifelé. Nála volt a hólapát, úgyhogy azt hittem, legjobb lesz, ha nyakamba szedem a lábam.

De apa a hógolyó felé tartott, nem felém. Alig egy perc alatt a földdel tette egyenlővé a munkánkat.

Pár perccel később befutott Rowley. Azt hittem, leesik neki, mi történt.

De azt hiszem, nagyon szerette volna a hógolyót lezúdítani a dombról, mert tényleg fölkapta a vizet. És képzeld el: Rowley RÁM volt dühös azért, amit APA tett!

Mondtam neki, hogy olyan, mint egy nagy gyerek. Erre aztán lökdösődni kezdett. Éppen amikor már majdnem kitört a verekedés, lesből aljas támadás ért bennünket az utca felől.

A Forgó utcaiak!

És ha Mrs. Levine, az angoltanárnőm jelen lett volna, a helyzetet egyetlen szóval jellemzi: „ironikus".

<u>Szerda</u>

Ma az iskolában kihirdették, hogy a suliújságban megüresedett a képregényrajzolói státusz. Csak egyetlen kis képcsíkot kellett megrajzolni, és mostanáig ezt egy Bryan Little nevezetű srác bitorolta.

Bryan „Kutyu kutyának" nevezte el a főhősét, és az elején még tényleg vicces volt.

De az utóbbi időben Bryan arra használta a képregényt, hogy saját pecsenyéjét sütögesse. Azt hiszem, éppen ezért került lapátra.

Kutyu kutya

Hé, Kutyu kutya, mondj valami **vicceset!**   Valójában ma komoly dolgokon töröm a fejem.

Bryan Little

Susan Lim, ha olvasod ezt, Bryan sajnálja, hogy megcsókolta a legjobb barátnődet a szekrények mögött. Reméli, a szíved meg tud bocsátani neki.

U.I. Barry Palmer, még mindig tartozol Bryannak öt dollárral, te **SEGG!**

Mikor meghallottam a híreket, tudtam, hogy megpróbálom. A Kutyu kutya híressé tette Bryan Little-t az iskolában, és én is efféle hírnévre vágytam.

Már belekóstoltam, milyen érzés híresnek lenni az iskolában, mikor a dohányzásellenes plakátversenyen dicséretet kaptam.

171

Csak szereznem kellett egy képet Rodrick egyik heavy metálos magazinjából, de szerencsére senki nem jött rá erre.

Az első díjat egy Chris Carney nevű kölyök nyerte. Az viszont külön piszkálja a csőrömet, hogy Chris legalább egy doboz cigit elszív naponta.

Csütörtök

Rowleyval elhatároztuk, hogy összeállunk, és
együtt rajzoljuk a képregényt. Úgyhogy ma suli
után átjött hozzánk, és neki is láttunk.

Egy csomó szereplőt gyorsan felvázoltunk, és
mint kiderült, ez volt a könnyebb része a dolog-
nak. Mikor valami vicceset próbáltunk kiagyalni,
rögtön leblokkoltunk.

Végül aztán tényleg szuper ötlettel álltam elő.

Kitaláltam, hogy legyen minden karikatúra poénja
az, hogy „Atya-gatya!".

Így nem kell azon erőlködnünk, hogy igazi vicce-
ket találjunk ki, és minden erőnkkel a képekre
koncentrálhatunk.

Az első pár karikatúra-sorozatnál én írtam a szöveget és rajzoltam a szereplőket, Rowley pedig a négyzeteket a képek számára.

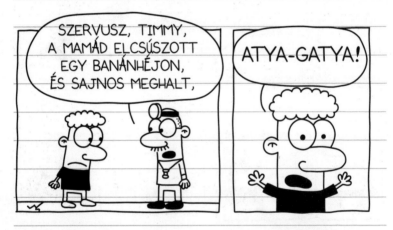

Aztán Rowley nyöszörögni kezdett, hogy semmit sem csinálhat, ezért hagytam, hogy ő írjon néhányat.

De, hogy őszinte legyek, komoly színvonalesés következett be, mikor Rowley kezdte írni a szöveget.

Tulajdonképpen kezdett herótom lenni az egész atya-gatya ötlettől, és átengedtem Rowley-nak az egészet.

És hidd el, Rowley rajzkészsége még a szövegírói tehetségénél is rosszabb volt.

Mondtam Rowley-nak, hogy előjöhetnénk valami új ötlettel, de ő csak az atya-gatyát akarta írni. Aztán összeszedte a rajzait, és hazament, amitől megkönnyebbültem. Nem igazán akartam olyasvalakivel társulni, aki nem rajzol orrot.

Péntek

Tegnap, miután Rowley elment, tényleg nekiálltam rajzolni. Kitaláltam egy szereplőt: Kriton, a kretént, és nekiálltam.

KRITON, A KRETÉN   GREG HEFFLEY MŰVE

Ledöngettem még vagy húszat belőle, és még csak meg sem kottyant.

KÍVÁNCSI VAGYOK, MI VAN EBBEN A KIS DOBOZBAN.

AZ NEM DOBOZ, TE OSTOBA IDIÓTA, HANEM TÉGLA!

HŰHA. EGÉSZ NAP PRÓBÁLTAM KINYITNI.

DOKTOR ÚR, KAPHATNÉK ÚJ FENEKET? A RÉGIN VAN EGY REPEDÉS.

KRITON, MÁR MILLIÓSZOR MONDTAM, HOGY MINDENKI FENEKÉN VAN REPEDÉS!

Ó, IGEN, DE ELFELEJTETTEM.

Az az állat Kriton, a kreténben, hogy amíg ennyi idióta szaladgál az iskolában, SOSE fogyok ki a témából.

Amint ma beértem az iskolába, bevittem a rajzokat Mr. Ira szobájába. Ő a suliújságért felelős tanár.

Mikor letettem a rajzokat, láttam, hogy már van ott egy egész halom más kölyköktől, akik szintén képregényrajzolók akarnak lenni.

A legtöbbjük pocsék, úgyhogy nem nagyon aggódtam a verseny miatt.

Az egyik műnek „Dilis tanárok" volt a címe, és egy Bill Tritt nevű srác a szerző.

Billt állandóan megbüntetik, úgyhogy azt hiszem, fasírtban van minden tanárral, többek között Mr. Irával is.

Tehát nem aggódtam komolyan, hogy Bill rajza nyerni fog.

Gyakorlatilag egy vagy két elfogadható rajz volt a pakliban. De azokat a torony aljára süllyesztettem.

Remélhetőleg főiskolás koromig nem is kerülnek elő.

Csütörtök

Ma reggel az iskolarádió bejelentette a hírt, amit vártam.

Az újság ma jön ki ebédszünetben, és mindenki olvassa.

Nagyon szerettem volna egy példányt szerezni, hogy lássam nyomtatásban a nevemet, de inkább úgy döntöttem, játszom a hidegvérűt.

Leültem az ebédlőasztal végére, hogy legyen egy csomó helyem, ha alá kell írni az új rajongóknak. De senki sem jött, hogy közölje, micsoda nagy képregényrajzoló vagyok, és kezdett rossz előérzetem lenni.

Kerítettem egy példányt, bementem a vécére, és megnéztem. Mikor megláttam a képregényemet, majd szívrohamot kaptam.

Mr. Ira mondta ugyan, hogy „kicsit megszerkesztette", de azt hittem, arra gondol, hogy kijavítja a helyesírási hibákat meg ilyesmi. Ehelyett totálisan legyilkolta.

Pont a kedvencemet tette tönkre. Az eredetiben Kriton, a kretén megkapja a matekdolgozatát, és véletlenül megeszi. Aztán a tanár ordít vele, hogy miért ilyen hülye.

Mr. Ira átiratában rá sem lehet ismerni...

Kriton, a kíváncsi diák

Tanár úr, ha X+43 = 89, akkor mennyi az X?

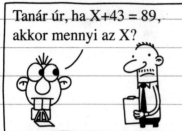

Gregory Heffley műve

Kriton, az X 46 lesz!

Köszönöm. Srácok, ha többet szeretnétek megtudni a matekról, keressétek fel Mr. Humphrey-t az irodájában! Vagy keressétek fel a könyvtárat, és böngésszetek a nemrég bővített matematika és természettudományos részlegben!

Most már biztos vagyok benne, hogy a közeljövőben nem fogok autogramokat osztogatni.

TANÁROK KEDVENCE!

LÖK

MÁRCIUS

Szerda

Rowley-val és az őrökkel éppen a forró csokolá-
dénkat szürcsöltük, mikor megszólalt a hangos-
bemondó.

ROWLEY JEFFERSON
AZONNAL JELENTKEZZEN
MR. WINSKY IRODÁJÁBAN!

Rowley lement Mr. Winsky irodájába, és tizenöt
perc múlva eléggé feldúltan jött vissza.

Mr. Winskyt felhívta az egyik szülő, aki tanúja
volt, mikor Rowley „terrorizálta" az óvodásokat,
miközben hazakísérte őket. És Mr. Winsky tény-
leg dühös volt.

Rowley elmondta, hogy Mr. Winsky nagyjából tíz percig ordított vele, és kijelentette, hogy az ilyen viselkedéssel „szégyent hoz a jelvényre".

Tudom, vagy legalább is sejtem, miről lehet szó. Múlt héten Rowley-nak dolgozatot kellett írnia, úgyhogy egyedül kísértem haza az ovisokat.

Aznap reggel esett, és egy csomó giliszta mászott a járdán. Úgy döntöttem, felvidítom a gyerekeket.

De valami szomszéd néni meglátta, és rám kiabált
a verandáról.

Mrs. Irvine volt, Rowley mamájának a barátnője.
Nyilván azt hitte, hogy én vagyok Rowley, mert
kölcsönkértem a kabátját. Persze nem világosí-
tottam fel.

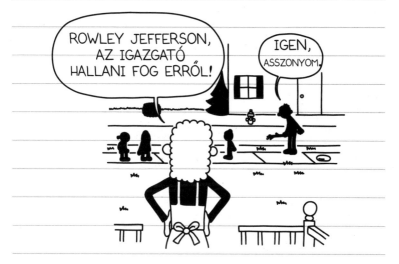

Azzal el is feledkeztem az egészről. Egész
mostanáig.

Egyébként Mr. Winsky mondta Rowley-nak,
hogy holnap kérjen bocsánatot az óvodásoktól,
és egy hétre felfüggeszti a biztonsági őrségi
tagságát.

Tudtam, hogy meg kellene mondanom Mr. Winskynek, hogy én kergettem a gilisztákkal a gyerekeket. De még nem álltam készen rá. Tudtam, ha vallomást teszek, elveszítem a forró csoki-előjogomat. Ez elhallgattatott egy időre.

Ma vacsoránál anya olyasmit mondott, amivel megbántott, úgyhogy aztán feljött a szobámba, hogy beszélgessünk.

Elmondtam neki, hogy nehéz helyzetben vagyok, és nem tudom, mit tegyek.

Megkérdeztem tőle, hogyan kezelné a kérdést. Nem próbált meg faggatni, hogy megtudja a részleteket. Csak annyit mondott, hogy próbáljam a „helyes dolgot" cselekedni, mert a döntéseink tesznek azzá, akik vagyunk.

Egész elfogadható tanácsnak tűnt. De még nem tudom 100%-ra, hogy mit teszek holnap.

Csütörtök

Nos, egész éjszaka fontolgattam a helyzetet Rowley-val, de végül dűlőre jutottam. Úgy döntöttem, hogy az lesz a leghelyesebb, ha hagyom, hogy Rowley ezúttal feláldozza magát a csapatért.

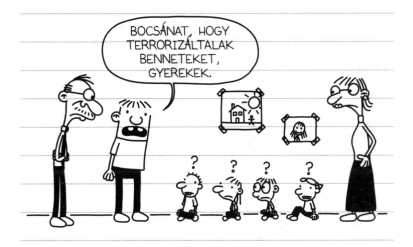

Hazafelé tisztáztam a dolgot Rowley-val, és elmondtam neki az egészet úgy, ahogy történt, meg azt is, hogyan kergettem a gyerekeket a gilisztákkal.

Végül azzal fejeztem be, hogy mindkettőnknek le kell vonni az esetből a tanulságot. Kijelentettem, hogy nekem óvatosabbnak kell lennem, és ügyelni arra, mit művelek Mrs. Irvine háza előtt, ő pedig megtanulhatta, hogy az ember gondolja meg alaposan, kinek adja kölcsön a kabátját.

Hogy őszinte legyek, az üzenet nem igazán hatolt el Rowley-hoz.

Úgy volt, hogy együtt lógunk iskola után, de azt mondta, inkább hazamegy és alszik egyet.

Nem tudtam komolyan hibáztatni. Mert ha én nem jutottam volna hozzá ma reggel a forró csokihoz, nekem sem lenne túl sok energiám

Mikor hazaértem, anya várt az ajtóban.

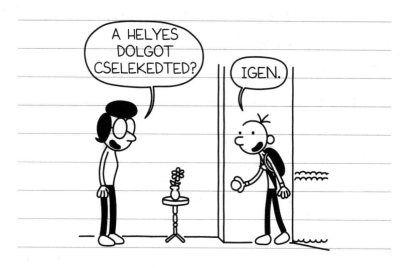

Hogy megünnepeljük, anya elvitt fagyizni. Engem ez az egész történet arra tanított, hogy időnként nem is olyan rossz ötlet, ha az ember hallgat az anyjára.

Kedd

Újabb bejelentés harsant a hangosbemondón, és őszintén szólva, valahogy sejtettem, hogy ez fog történni.

GREG HEFFLEY JELENTKEZZEN MR. WINSKY IRODÁJÁBAN.

KORTY...

Tudtam, hogy csak idő kérdése, és elkapnak...

Bementem Mr. Winsky irodájába, aki ezúttal tényleg dühös volt. Közölte velem, hogy „anonim forrásból" tudja, hogy én voltam a giliszta-üldözéses incidens valódi elkövetője.

Azt mondta, hogy „gyakorlatilag azonnal" elbúcsúzhatok a biztonsági őri jelvényemtől.

Nos, nem kell hozzá nyomozónak lenni, hogy rá-
jöjjek, hogy az a névtelen forrás Rowley volt.

Nem tudtam elhinni, hogy Rowley egyszerűen be-
ment Mr. Winskyhez, és így hátba szúrt. Míg ott
ültem, és hallgattam, ahogy Mr. Winsky lehord a
sárga földig, arra gondoltam, hogy kedves baráto-
mat meg kéne valahogy tanítani, mi is az a barátság.

Aztán Rowleyt még aznap visszavették bizton-
sági őrnek. És még: ELŐLÉPTETTÉK, mert ahogy
Mr. Winsky fogalmazott, Rowley „méltóságtelje-
sen viselkedett a hamis vádak súlya alatt".

Arra gondoltam, Rowley még megkeserüli, hogy elárult, de aztán eszembe jutott valami.

Júniusban a biztonsági őrök vezetői nyári táborba utaznak, és vihetnek magukkal egy barátot. Biztosítanom kell, hogy Rowley tudja, hogy én vagyok az ő embere.

HADD ADJAM EZT ÁT, „KAPITÁNY"!

Kedd

Mint már mondtam, az a legrosszabb abban, hogy kirúgtak a biztonsági őröktől, hogy búcsút mondhattam a forró csokinak.

Minden reggel odamegyek az étterem hátsó ajtajához, hogy Rowley kiszúrjon.

De a barátom vagy megsüketült, vagy túl szor-
galmasan nyalja a többi tiszt seggét, és nem vesz
észre az ablaknál.

Valójában, most, hogy így belegondolok, azt
hiszem, Rowley teljesen elfordult tőlem. És ez
nagyon gáz, mert ha jól emlékszem, Ő volt az, aki
elárult ENGEM.

Bár Rowley teljesen megbuggyant az utóbbi
időben, azért ma megpróbáltam nála megtörni a
jeget. De még AZ sem működött.

ÁPRILIS

A giliszta incidens óta Rowley folyton Collin Leevel lóg suli után. Ami tényleg dühítő, mert eddig úgy volt, hogy Collin az ÉN tartalék barátom.

Ezek a csávók totál röhejesek. Ma Roowley és Collin ugyanolyan pólót vett fel, és ettől egyszerűen hánynom kellett.

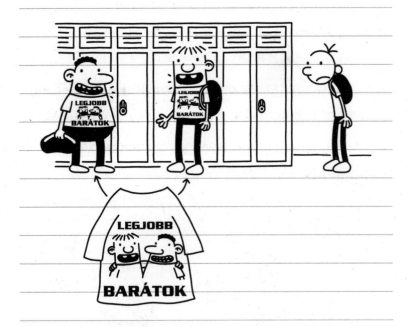

Vacsora után láttam, hogy együtt mennek föl a dombra, nagy egyetértésben.

Collinnál volt a kézitáskája, úgyhogy tudtam, hogy ott alszik Rowley-éknál.

És arra gondoltam, nem baj, EZT a játékot ketten játsszák. Rowley visszaszerzésének legjobb módja, ha szert teszek egy jó barátra. De sajnos, egyetlen személy jutott eszembe az adott pillanatban, Fregley.

Elindultam Fregley-hez a kézitáskámmal, hogy Rowley lássa, mással is tudok barátkozni.

Mikor odaértem, Fregley kint volt a kertjükben, és egy papírsárkányt döfködött egy bottal. Akkor kezdtem agyalni, hogy ez talán mégsem a legjobb ötlet...

De Rowley kint volt a kertjükben, és engem fi-
gyelt. Úgyhogy nem fordulhattam vissza.

Meghívattam magam Fregley-ékhez. A mamája
örvendezett, hogy Fregley-nek végre van „ját-
szótársa", amely kifejezéstől nem voltam túlsá-
gosan elragadtatva.

Aztán felmentünk Fregley szobájába. Megpró-
bált rávenni, hogy játsszunk twistert, úgyhogy
azután végig igyekeztem tőle három méter távol-
ságra maradni.

Úgy döntöttem, feladom az egész ostoba ter-
vet, és hazamegyek. De valahányszor kinéztem
az ablakon, Rowley és Collin kint volt Rowley-ék
kertjében.

Addig nem akartam elmenni, míg ők be nem mennek. De az események irányítása viszonylag hamar kicsúszott a kezemből. Mikor kinéztem az ablakon, Fregley belenyúlt a hátizsákomba, és megette az összes cukorkát, ami benne volt.

Fregley azok közé a gyerekek közé tartozik, akiknek nem lenne szabad cukrot enniük, úgyhogy két perccel később ott pattogott a falak között.

Azután dilis módjára kezdett viselkedni, és körbekergetett az emeleten.

Abban reménykedtem, hogy hamarosan lejön a cukorról, de nem vált be a számításom. Végül bezárkóztam a fürdőszobájába, hogy ott bekkeljem ki a dolgot.

Nagyjából 11:30-kor elcsendesedett a folyosó. Akkor Fregley becsúsztatott egy darab papírt az ajtó alatt.

Felvettem és elolvastam.

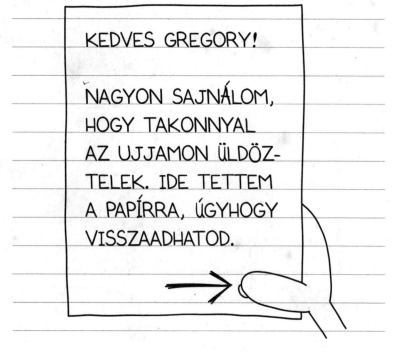

Ez az utolsó dolog, amire emlékszem, mielőtt kidőltem.

Pár órával később tértem magamhoz. Miután felébredtem, résnyire nyitottam az ajtót, és horkolást hallottam Fregley szobájából. Úgy döntöttem, meglépek.

Anya és apa nem örült, mikor hajnali két órakor kiugrasztottam őket az ágyból. De addigra már nem törődtem ilyesmivel.

Hétfő

Nos, most már egy hónapja nem barátkoztunk, Rowley meg én, és be kell vallanom, jól megvoltam nélküle.

Örülök, hogy azt csinálhatok, amit akarok, anélkül, hogy valaki koloncként lógna a nyakamon.

Az utóbbi időben suli után Rodrick szobájában lógok, és turkálok a holmija között. A múltkor megtaláltam a felső tagozatos iskolai évkönyveit.

Rodrick az évkönyv minden fényképét felirattal látta el, így meg lehet mondani, milyen érzések töltötték el az osztálytársai iránt.

Időnként látom Rodrick régi osztálytársait a városban. Ne felejtsem el megköszönni Rodricknak, hogy sikerült a templomot sokkal érdekesebb hellyé varázsolnia számomra.

De Rodrick évkönyvének legérdekesebb része „Az osztály kedvencei" oldal.

Oda tették azok képeit, akiket megválasztottak a legnépszerűbbnek, a legtehetségesebbnek, stb.

Rodrick feliratozta „Az osztály kedvencei" oldalt is.

BIZONYÁRA
SIKERESEK LESZNEK

Bill Watson   Kathy Nguyen

Tudod, az „Az osztály kedvencei" dolog tényleg beindított.

Ha az embernek sikerül magát beválasztatni „Az osztály kedvencei" oldalra, akkor gyakorlatilag halhatatlan. Még az sem számít, ha nem hozza, amit vártak tőle, mert akkor is ott van az állandóan jegyzettek listáján.

Az emberek még mindig úgy kezelik Bill Watsont, mintha valami sztár lenne, bár kihullott a főiskoláról.

Időnként összefutunk vele a boltban.

Szóval arra gondoltam: ez az iskolaév úgyis egy-
fajta kudarcnak tekinthető, de ha megválaszta-
nának „Az osztály kedvencének", akkor egész jól
jönnék ki a dologból.

Megpróbáltam kitalálni, milyen kategóriában
indulhatnék. A legnépszerűbb és a legsportosabb
határozottan kilőve, úgyhogy valami olyasmit kell
keresni, ami könnyebben elérhető.

Először arra gondoltam, talán ha tényleg szép
ruhákban járnék az év további részében, akkor
lehetnék „A legjobban öltözött diák".

De ez annyit jelentene, hogy Jenna Stewarté
mellé tennék a képemet, ő pedig úgy öltözik, mint
egy XVII. századból itt ragadt telepes.

Szerda

A múlt éjszaka az ágyamban fekve eszembe ju-
tott: indulhatnék az osztály bohóca címért.

Nem arról van szó, hogy tényleg vicces lennék
az iskolában vagy valami, de ha bedobnék valami
eszelős csínyt közvetlenül a szavazás előtt, az
hatna.

JAAAJ!

RAJZ-
SZÖG

MÁJUS

Ma megpróbáltam kiötleni, hogyan tehetném a rajzszöget Mr. Worth székére történelemórán, mikor mondott valamit, amitől újragondoltam a tervemet.

Mr. Worth azt mondta, hogy holnap fogorvoshoz kell mennie, úgyhogy helyettesíteni fogja valaki. A helyettesítő tanár mindig aranybánya. Mondhat az ember bármit, úgysem kerül bajba.

Ma úgy indultam történelemórára, hogy végre-
hajtom a tervemet. De mikor odaértem az ajtó-
hoz... Sejted, ki volt a helyettesítő tanár?

A világ összes helyettesítő tanára közül éppen
anyának kellett bejönnie. Azt reméltem, többé
már nem avatkozik az iskolám ügyeibe.

Régebben azon szülők egyike volt, aki segít az
osztályban. De minden megváltozott, mikor egy-
szer jelentkezett, hogy kisegítőként eljön az
állatkertbe, mikor harmadikos voltam.

Anya mindenféle anyagot készített, hogy segítsen megérteni a gyerekeknek, a különböző állatok miért olyanok, amilyenek, de mindenki csak arra volt kíváncsi, hogyan végzik a dolgukat az állatok.

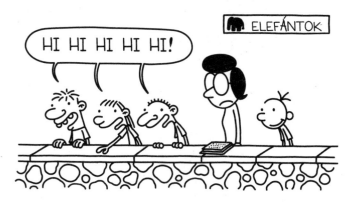

Egyébként anya teljesen keresztbe tett annak a tervemnek, hogy az osztály bohóca legyek. Szerencsére nincs olyan kategória, hogy anyuka legkedvesebb csimotája, mert akkor a mai nap után több lóhosszal nyernék.

Szerda

Újból megjelent a suliújság. Felmondtam a rajzolói állást, miután kijött a Kriton, a kíváncsi diák, és nem is érdekelt, hogy kit találtak helyettem.

De ebéd közben mindenki nevetett a képregényes oldalnál, úgyhogy én is elvettem egy példányt, hogy megnézzem, mi olyan vicces. Mikor kinyitottam, nem hittem a szememnek.

Az atya-gatya volt! És persze Mr. Ira egyetlen SZÓT sem változtatott meg Rowley képregényében.

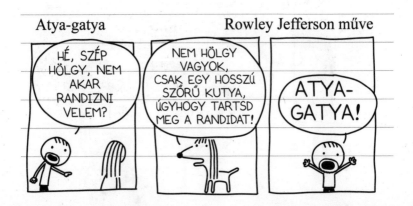

Most Rowley-nak jutott ki az a hírnév, ami engem illetett volna.

Még a tanárok is Rowley seggét nyalták. Majdnem viszontláttam az ebédemet, mikor Mr. Worth leejtette a krétáját történelemórán...

Hétfő

Ez az atya-gatya dolog tényleg bekattantott.
Rowley aratja le a babérokat, amiket együtt ér-
demeltünk ki. Úgy éreztem, az a legkevesebb, ha
a nevemet legalább alkotótársként odaírja.

Úgyhogy odamentem hozzá iskola után, és meg-
mondtam neki, hogy mit kéne tennie. De Rowley
azt mondta, hogy az atya-gatya az Ő ötlete volt,
és nekem semmi közöm hozzá.

Azt hiszem, kissé hangosan beszéltünk, de csak
később vettem észre, hogy tömeg gyűlt körénk.

A srácokat a suliban mindig izgatja a bunyó. Én meg Rowley igyekeztünk odébb menni, de ők nem engedtek, míg nem látták, hogy lenyomunk pár sallert.

Azelőtt még soha nem vettem részt igazi bunyóban, úgyhogy nem tudtam, hogyan álljak, vagy hogyan tartsam a kezem és a többi. Az is biztos, hogy Rowley sem tudta, mert elkezdett ficánkolni, mint egy leprikón.

Tuti biztos voltam benne, hogy harcban legyőzném Rowley-t, de az idegessé tett, hogy karatézni jár. Nem tudom, miféle hókuszpókuszra tanítják Rowley-t a karate csoportban, de semmi szükségem nem volt rá, hogy kiterítsen itt az aszfalton.

Még mielőtt bármelyikünk megmozdulhatott volna, fékcsikordulás hallatszott az iskola parkolójából. Egy csomó vagány kamasz állt meg a kisteherautójával, és egyre többen szálltak ki.

Örültem, hogy a közfigyelem rájuk terelődött. De az összes kölyök elpárolgott, amikor a vagányok elkezdtek felénk közeledni.

És akkor döbbentem rá, hogy borzasztóan ismerősek.

Aztán beugrott. Ugyanazok a csávók voltak, akik mindenszentekkor üldöztek bennünket, de végül kénytelenek voltak feladni.

De még mielőtt olajra léphettünk volna, hátra-
csavarták a karunkat.

Meg akartak leckéztetni bennünket azért, amit
mindenszentekkor műveltünk, és már kezdték is
megvitatni, mit is kezdjenek velünk.

De hogy őszinte legyek, volt valami, ami sokkal
jobban aggasztott. A Sajt csak pár lépésre volt
attól a helytől, ahol álltunk, és undorítóbbnak
látszott, mint valaha.

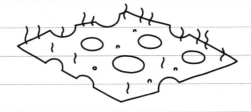

A magas fickó bizonyára elkapta a pillantásomat, mert csak azt láttam, hogy ő is a Sajtot nézi. És ez, azt hiszem, megadta neki az ihletet.

Rowley-t választották elsőnek. A nagy srác megragadta, és odavonszolta a Sajthoz.

Nem akarom itt részletesen előadni, mi történt a továbbiakban. Mert ha Rowley valaha indulni akar az elnökválasztáson, és valaki kideríti, hogy mire kényszerítették ezek a fickók, akkor odalesz minden esélye.

Ezért csak így írom: Kényszerítették Rowley-t, hogy.................... a Sajtot.

Tudtam, hogy engem is kényszeríteni fognak rá. Kezdtem pánikba esni, mert tudtam, képtelen lennék szabadulni a helyzetből.

Úgyhogy gyorsan elkezdtem hadarni.

És akár hiszitek, akár nem, ez működött.

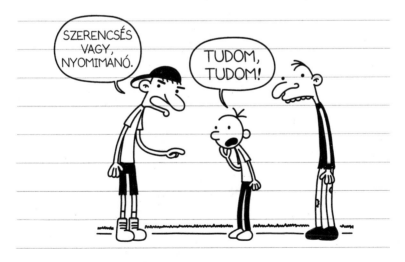

Azt hiszem, a csávók megelégedtek azzal, hogy nyomatékosan kifejezték álláspontjukat, mert miután Rowley elintézte a Sajt maradékát, elengedtek bennünket. Visszaszálltak a teherautójukba és elhajtottak.

Én meg Rowley együtt mentünk haza. De egyikünk sem szólt semmit egész úton.

Gondoltam, megemlítem Rowley-nak, hogy előszedhette volna a karate tudományát az előbb, de valami azt súgta, fogjam vissza magam.

RESZKET
RESZKET

Kedd

Az iskolában a tanárok ebéd után kiengedtek bennünket.

Nagyjából öt másodpercbe telt, míg valaki rádöbbent, hogy a Sajt hiányzik, nincs a helyén a betonon.

HÉÉÉÉÉÉÉÉ!

Mindenki odagyűlt, hogy megnézze a helyet, ahol a Sajt szokott lenni. Senki se akarta elhinni, hogy tényleg eltűnt.

Elkezdődött az őrült találgatás, hogy mi történhetett vele. Valaki azt mondta, hogy talán lába nőtt és útra kelt.

Minden önuralmamra szükségem volt, hogy
tartsam a számat. És ha Rowley nem állt volna
közvetlenül mellettem, őszintén, nem tudom,
vajon akkor is képes lettem volna-e csöndben
maradni.

Egy pár srác azon vitatkozott, mi történt a Sajt-
tal, ugyanazok, akik tegnap délután engem meg
Rowley-t körülálltak. Úgyhogy tudtam, nemsokára
összerakják a kettőt meg a kettőt, és rájönnek,
hogy nekünk van hozzá közünk.

Rowley pánikba esett, és én nem is hibáztatom.
Ha napfényre kerül az igazság, hogyan tűnt el a
Sajt, Rowley-nak vége. El kell költöznie az állam-
ból, talán még az országból is.

Akkor elhatároztam, hogy megszólalok.

Bejelentettem, hogy tudom, mi történt a Sajttal. Közöltem, hogy már nagyon utáltam nézni ott a betonon, és úgy döntöttem, egyszer s mindenkorra megszabadulok tőle.

Egy pillanatra mindenki megdermedt. Azt hittem, hogy hálásak lesznek azért, amit tettem, de öregem, tévedtem.

Azt kívántam, bárcsak kicsit másként fogalmaztam volna meg a mondanivalómat. Mert tudjátok, mit jelent az, hogy én dobtam ki a Sajtot? Azt jelenti, hogy megérintettem.

JÚNIUS

Péntek

Nos, Rowley — ha nem is mondta — értékelte,
amit a múlt héten érte tettem. Újból elkezdtünk
együtt lógni suli után, és azt hiszem, ő meg én
újra visszatértünk a rendes kerékvágásba.

PELENKAKIÜTÉS KERÜL AZ ÉLRE!

BRUHAHAHA!

Őszintén bevallom, hogy eddig a sajtos tapi nem
is olyan rossz.

Sikerült kimaradnom a tánccsoportból, mert
senki nem akart velem párba állni. És minden nap
egyedül ülhettem a nagy ebédlőasztalnál.

Ma volt az utolsó nap az iskolában, és a nyolcadik
óra után átadták az évkönyveket.

Fellapoztam „Az osztály kedvencei" feliratú oldalt, és ez a kép fogadott.

AZ OSZTÁLY BOHÓCA

Rowley Jefferson

Csak annyit mondhatok, ha valaki ingyen évkönyvet szeretne, akkor kibányászhatja az étterem mögötti szemetesből.

Tudjátok, felőlem Rowley lehet az osztály bohóca, nem érdekel. De ha azt hiszi, hogy ő fújja a passzátszelet, akkor majd emlékeztetem rá, hogy ő volt az, aki megette a......

KÖSZÖNETNYILVÁNÍTÁS

Sok ember segített létrehozni ezt a könyvet, de négyen megérdemlik külön köszönetemet:

Az Adams szerkesztője, Charlie Kochman, aki minden képzeletet felülmúló módon támogatta az *Egy ropi naplóját*. Minden író örülhet az olyan szerkesztőnek, mint Charlie.

Jess Brallier, aki tudja, milyen fontos az online kiadás – ő segített, hogy Greg Heffley széles tömegekhez juthasson el. Külön köszönöm a barátságodat és a támogatást. Patrick segített tökéletesíteni ezt a könyvet, és habozás nélkül megmondta, ha egy poén laposra sikerült.

Feleségem, Julie, akinek feltétel nélküli támogatása nélkül ez a könyv soha nem valósult volna meg.

A SZERZŐRŐL

Jeff Kinney online játékfejlesztő és -tervező. Gyermekkorát Washington D. C-ben töltötte, és 1995-ben költözött New Englandbe. Jeff Massachusetts állam déli részén él felesége, Julie, és két gyermeke, Will és Grant társaságában.